Délia STEINBERG GUZMAN

Philosophie
à *vivre*

Aux Éditions des 3 Monts

PRIER LA PAIX
James F. Twyman

GARDEZ LE CAP INTÉRIEUR
Jean-Claude Genel

RÉINVENTER SA SANTÉ
Dr. Mony Thouvenin

LE TAROT SPIRITUEL ET DIVINATOIRE
Pierre Texier

RENCONTRES AVEC LES MAÎTRES DE SAGESSE
Wayne S. Peterson

Les Éditions des 3 Monts – La Turinière – 50530 MONTVIRON
Tél /Fax : 02 33 58 04 97
e - mail : 3monts@ifrance.com
site : http://3monts.ifrance.com
ISBN 2-909735-57-5

Délia STEINBERG GUZMAN

Philosophie
à *vivre*

Traduit de l'espagnol par
Marie-Françoise TOURET

Les Éditions des 3 monts

Avant-Propos

À quoi bon la philosophie si elle n'est pas, conformément aux deux mots grecs dont elle tire son origine, l'amour de la sagesse ?

L'amour est un appel puissant vers ce qui nous manque et à quoi nous aspirons à nous unir. Un appel qui nous met en marche pour le rejoindre.

La sagesse n'est pas seulement la compréhension de la connaissance, elle demande aussi d'assimiler l'expérience que la vie nous offre généreusement à chaque instant, comme une mère attentive à nourrir ses enfants des aliments les meilleurs pour chacun.

La sagesse est liée à la connaissance et à la conviction intime qu'apporte l'expérience dont on a tiré les fruits. Elle donne à celui qui se met ainsi en route vers elle une intelligence, une ouverture et une efficacité grandissantes. Elle lui permet de mettre en harmonie, chaque jour davantage, ce qu'il pense, ce qu'il sent, ce qu'il dit et ce qu'il fait, signe distinctif du véritable philosophe.

Le livre que vous avez entre les mains peut aider à vivre cela.

Il propose, dans une première partie, des conseils simples, brefs, pratiques, pour tous les jours, à lire selon l'inspiration ou les besoins.

L'auteur présente ensuite les différents plans ou "corps" qui composent l'être humain et auxquels les textes font référence.

Puis, pour répondre aux problèmes de tous ordres auxquels, en fin de compte, aucun d'entre nous n'échappe, tant au niveau individuel qu'au niveau collectif, Délia Steinberg Guzman propose une démarche qui consiste à trouver, au cœur de soi-même, l'endroit stable, le centre d'où jaillit la source d'une paix et d'un bonheur durables car de moins en moins dépendants des circonstances.

Enfin, est évoqué cet appel de l'âme qu'est la vocation, appel à mieux se connaître pour répondre à ce qu'on est profondément, en tant qu'individu et en tant qu'être humain. Appel de l'âme à devenir, chacun à sa façon, philosophe.

Marie-Françoise Touret

Philosophie
pour tous les jours

L'évolution, un besoin de l'âme

Indubitablement, en tant que philosophes, l'idée d'une humanité statique soumise à la recherche d'avancées matérielles, mais sans plus de modifications intérieures, ne nous satisfait pas. L'évolution s'impose à nous comme quelque chose de nécessaire et d'admirable, comme un chemin plus ou moins long selon notre désir d'avancer et avec des objectifs aussi élevés que sont grandes les aspirations cachées de l'âme qui se manifestent en vagues intuitions dépouillées de mots. Tout cela marqué par le merveilleux et inévitable concept de destinée.

Pour évoluer, se connaître

L'évolution passe par l'indispensable connaissance de soi. Se connaître, c'est savoir réellement qui l'on est et sur quels éléments compter pour entreprendre sa propre conquête. Quelles sont ses qualités, même peu nombreuses ? Quels sont ses défauts, même nombreux ? Comment compenser ses défauts par ses qualités ? Comment développer la persévérance ? Comment aborder tous les travaux, pour simples et faciles qu'ils paraissent, avec le même amour ? Comment supprimer la monotonie des exercices répétitifs ? Comment voir davantage par les yeux des autres que par ses propres yeux ? Comment arriver à comprendre ceux qui nous entourent sans tomber dans une attitude commode, nonchalante, selon laquelle tout ira bien à condition de ne pas discuter ? Comment comprendre et pardonner sans cesser d'être fort et généreux ? Comment se corriger soi-même avant de corriger les autres ?

Répétition rime avec perfection

Il est certain que la répétition est une des armes magiques qu'utilise la Nature. Plus que de répétition, il faudrait parler de réitération, c'est-à-dire de ce qui nous oblige à retourner maintes fois sur les mêmes pas jusqu'à ce qu'ils soient dûment compris. Elle est la loi par laquelle le cosmos tout entier est gouverné. Il suffit d'analyser, par exemple, la loi de l'éternel retour ; il suffit de remarquer les cycles de la manifestation qui font que les choses apparaissent et disparaissent.

La Nature répète avec insistance ses saisons, ses jours et ses nuits ; des millions de fois la graine germe dans la terre de la même façon.

En tant que partie de la Nature, serait-il possible que nous ne suivions pas le même rythme ?

Répéter, répéter, répéter... non par lassitude, mais à cause de l'impérieuse nécessité de la perfection. Celui qui répète ne fait pas toujours la même chose, il fait chaque fois mieux, il se sent grandir à chaque nouvel acte d'apprentissage.

Avoir plus ou être plus ?

Nombreux sont ceux qui font la démonstration qu'on peut avoir beaucoup de choses, en faire un mauvais usage ou les perdre un jour. Mais peu nombreux sont ceux qui font la démonstration qu'ils détiennent la clé de l'être intérieur, le contrôle de l'être intérieur, le contrôle de leur existence, de leurs émotions, la compréhension face à la douleur, la force devant les épreuves, la sagesse pour discerner qui nous sommes, d'où nous venons et où nous allons.

La tête et les jambes

La lecture et l'étude ne suffisent pas, non plus que la méditation sur ce qui a été lu et étudié. Il faut savoir agir en accord avec ce qui a été appris de façon intellectuelle et toute action requiert un apprentissage qui procède avec lenteur jusqu'à ce qu'on atteigne la perfection. Il faut l'assurance et la confiance en soi pour accéder à la pratique de ce que nous voulons être ; ne pas céder devant les difficultés, ne jamais penser que nous ne pourrons pas réaliser ce que nous avons planifié. Au contraire, se lancer avec décision et joie dans les exigences nouvelles et leur faire une place importante parce qu'elles le méritent ; les succès en seront plus tard la conséquence naturelle.

Mauvaise fatigue et vrai repos

Le manque de conscience dans ce que nous faisons (le fait de n'être pas présent dans ce que nous faisons) nous fatigue beaucoup plus que si nous nous obligions à participer à chacun de nos actes. Cette fatigue accumulée raccourcit de plus en plus nos périodes de rendement positif. Courir sans respirer, abuser des émotions égoïstes ou déprimantes sans sortir de ce cadre, tourner en rond continuellement autour des mêmes idées circulaires sans chercher de solutions amène inévitablement à l'épuisement.

Se reposer dans ces conditions est très difficile, pour ne pas dire impossible. Ça ne vaut rien de respirer de temps à autre tandis qu'on nage en agitant les bras, ni d'entrer en léthargie pendant quelques jours pour ne penser à rien et tenter d'oublier les émotions qui nous angoissent. Ces repos sont des travestissements, des subterfuges, des pièges peu subtils, des illusions qui, en disparaissant, laissent place à la vieille fatigue et n'apportent pas d'énergie pour reprendre de nouvelles périodes de travail avec un enthousiasme accru.

Ce qui nous fatigue et ce qui nous repose

Nous fatiguent les choses qui ne nous intéressent pas ou celles auxquelles nous ne savons pas nous intéresser ; nous fatigue le fait de ne pas savoir souffler au milieu du travail, nous fatigue la mécanicité ennuyeuse qui ne laisse pas la conscience intervenir.

Nous délasse l'intérêt que nous portons à ce que nous faisons, un regard neuf et le désir que soit une source d'apprentissage tout ce qui nous entoure et tout ce qui arrive dans notre monde, le fait d'être toujours nous-mêmes et d'être avec toute notre âme dans tout ce qui nous incombe. Se remplir d'air pur, regarder le ciel et s'y perdre, voir danser le feu et courir l'eau, caresser les feuilles d'une plante ou jouer avec un petit animal domestique, parler avec ceux que nous aimons ou lire ceux que nous admirons. Partager un repas, une promenade ou une tasse de café. Savoir que nous sommes éternels et savoir que nous avons tout le temps nécessaire pour faire les choses, les plus petites comme les plus grandes.

Se reposer, enfin, c'est ne pas se fatiguer quand ce n'est ni le moment ni le lieu avec ce qui ne mérite pas notre fatigue.

Pessimisme, optimisme ou réalisme ?

Nous ne pourrions trouver de solution ou construire un monde nouveau et meilleur si nous n'étions pas conscients des difficultés que nous devons affronter.

La dénonciation courageuse des problèmes qui nous assaillent n'est pas du pessimisme. Au contraire : le pessimisme consisterait à accepter ces maux comme inévitables et à se soumettre à un destin inexorable devant lequel la volonté humaine ne peut rien faire.

Nous avons une foi absolue dans les potentialités humaines, latentes et endormies dans la majorité des cas ; toute la question est de les activer de façon adéquate. De même, conscients de la cyclicité de l'histoire, nous savons qu'après une période confuse et violente, où les valeurs spirituelles sont en léthargie et les ambitions matérielles exaltées, vient nécessairement une autre période où renaissent la sagesse et le sens de la fraternité aujourd'hui cachés.

Il nous convient de voir les choses telles qu'elles sont, d'affronter la réalité et d'assumer le fait d'être nés dans ce monde et en ce moment historique. La responsabilité nous incombe d'agir dans la mesure de nos possibilités et de nous sentir partie prenante de notre société, avec ses vertus et ses défauts.

Le service n'est pas ce que l'on croit

On a l'habitude de le rapporter à un travail pesant, forcé et obligatoire. Mais, au contraire, le service est l'action la plus libre de l'être humain, par laquelle il exprime son besoin de donner et de le faire avec joie, avec un sain dévouement, et avec la conscience que ses actes prennent de la valeur grâce au désintéressement qui les anime.

De quoi s'agit-il : l'investigation ?

Ce n'est pas une attitude de curiosité intellectuelle ni une accumulation de connaissances qu'on n'arrive jamais à appliquer dans la vie. L'investigation est une pénétration profonde de nos facultés mentales et intuitives dans une double direction : vers l'intérieur de l'homme (pour connaître ses potentialités latentes) et vers notre monde (pour connaître ses lois encore inexplorées).

Quitter le troupeau

Les modes imposent des styles déterminés de conduite, de langage, de rapports humains, d'opinions et de croyances qui assurent la "normalité", au moins pour un temps. Il faut être au fait pour suivre ces courants imposés et changer avec eux pour ne pas s'éloigner d'un pas du troupeau.

De là vient la peur du changement. Tout changement, s'il est substantiel, suppose qu'on se détache, pour le bien ou pour le mal, qu'on sorte de ce qui est communément accepté, qu'on se risque à être différent, et par conséquent, qu'on perde quelques-unes des précieuses valeurs établies par l'artificialité. Il est possible que disparaisse la fausse affection de ceux qui nous aimaient peu ou pas du tout et le prestige précaire obtenu en se cramponnant péniblement à une mode passagère.

Pourquoi est-il si difficile de maintenir une conversation profitable ?

Parler est un des plus beaux moyens que nous ayons pour communiquer entre nous, pour transmettre des éléments forts, pour faire passer les pensées et les émotions d'une personne à une autre. Cependant, il est très difficile de parler en arrivant à maintenir une conversation profitable. Voyons pourquoi.

Pour converser sans remplir bêtement le temps, il faut avoir quelque chose à dire, quelque chose de sérieux, d'important. Il faut avoir l'âme pleine et l'attention éveillée pour faire appel à un moment ou à un autre à ce qui fait partie de notre monde intérieur.

Pour converser, il faut avoir les idées claires, ne pas s'embrouiller dans d'inutiles répétitions. Savoir quand commencer et quand terminer ce qu'on veut dire.

Pour converser, il ne faut pas avoir peur de ses propres idées, ni des idées des autres. La conversation permet précisément ce sain échange mutuel entre ceux qui savent soutenir leurs opinions sans pour autant manquer d'écouter les arguments de leur interlocuteur.

Pour converser, il faut savoir écouter

Celui qui ne fait que s'écouter lui-même, celui qui n'apprécie que ses propres idées, celui qui se sent attiré par le son de sa propre voix, celui qui n'accorde pas d'importance à l'existence d'autres personnes et les utilise tout juste comme écran pour refléter ses paroles, ne pourra jamais tenir une conversation, ne pourra jamais entreprendre une salutaire relation humaine.

Il faut savoir écouter. Il n'est pas besoin d'être muet, ni renfermé, mais bien de faire montre de cette faculté exquise de qui prend en considération celui qui est devant soi, celui qui recherche une relation tout comme on la recherche soi-même.

Ecouter est un art : cela demande de prêter attention, d'accorder de la valeur à ce que les autres nous disent, de lire dans les yeux de celui qui parle tout comme on écoute ses paroles, de collaborer en silence par des gestes qui indiquent notre participation active au dialogue.

Ecouter, c'est pouvoir comparer avec ce que nous pensons et avoir l'occasion de mesurer, par cette comparaison, le poids de nos pensées.

Ecouter, c'est savoir intervenir au moment opportun, sans interrompre brusquement et sans prendre de haut ce que l'autre est en train de dire. C'est répondre en partant de ce qu'on nous a dit, en instaurant un "fil" intelligent, pour que la conversation ait un sens, c'est-à-dire un début, un milieu et une fin.

Ecouter, c'est comprendre et nous comprendre en ce monde si démuni de ces aptitudes.

Celui qui est capable de converser, alternant harmonieusement ses interventions avec celles des autres, celui qui écoute les autres autant et même plus que lui-même, sait récolter des trésors dans tous les coins et à tous les instants de la vie. Il développe l'observation, la patience, le respect et la capacité de penser.

Savoir écouter est la meilleure façon de savoir parler.

" T'as deux oreilles et une bouche ça peut dire qu'il faut que tu écoutes deux fois plus que tu parler. "

livre. J. Lapointe

Que veut dire ordonner ?

Ordonner n'est pas remplir des espaces : ordonner est mettre chaque chose à sa place et savoir trouver la place adéquate pour chaque chose.

L'ordre n'est pas une invention humaine

Toute la Nature se meut selon un rythme visible qui est le reflet d'un ordre, d'une loi. L'homme qui met de l'ordre en soi ne fait rien de plus que suivre les préceptes de la Nature, se rapprochant par conséquent des lois qui régissent notre univers.

La Nature remplit ses fonctions sans s'arrêter et sans complications parce qu'elle chemine de façon ordonnée. Dans le cas contraire, surgiraient des problèmes imprévisibles aux résultats également imprévisibles. Et même quand surgissent des faits apparemment imprévus, l'intelligence de la Nature leur porte remède dans le temps le plus bref possible.

En poursuivant le parallèle Nature/Homme, si l'être humain évolue avec ordre, ses progrès seront plus notables et ses problèmes seront moindres. Non pas parce que les problèmes n'existent pas, mais parce qu'on saura trouver des solutions réalisables à l'intérieur de l'ordre dans lequel on se meut.

Dans quel but ?

Tout ce qui a pour but de combler un vide ou une angoisse, sans plus, ne donnera pas les résultats souhaités. Une fois terminée cette période artificiellement remplie, uniquement pour se fuir soi-même, l'inquiétude et l'agitation reviennent. On croit s'être trompé de vocation ou d'activité et on en cherche une autre pour remédier à l'erreur ; peu de temps après, on découvre qu'on se trouve à nouveau dans le même état psychologique. On accuse ceux qui nous enseignent, la société qui ne donne pas la possibilité de bien des travaux que nous pourrions faire mais, sans nier le fait que cela puisse être vrai en certaines occasions, la faute en revient presque toujours à celui qui, ne sachant pas dans quel but il agit ainsi, le fait sans savoir ce qu'il veut obtenir.

Dans quel but : est-ce que je veux en savoir plus, m'améliorer intérieurement, grandir psychologiquement, dominer un quelconque sujet pour l'appliquer à des travaux concrets, aider les autres ? ou, dans le plus simple des cas, gagner de l'argent, acheter des objets dont j'ai besoin, pouvoir voyager... ? Dans quel but : cette question ne peut être absente, la réponse non plus, quand ce n'est pas "pour passer le temps". Le but de nos actes doit toujours être pratique, applicable, avoir un sens qui peut combler des vides et des besoins dans le monde et en nous-mêmes, en écartant le pauvre argument de simplement occuper quelques jours de la vie qui se font longs à force d'être idiots et ennuyeux.

Pour aller où ?

Quand nous nous déplaçons, nous devons avoir une direction précise, claire et bien tracée devant nous. Le "dans quel but" nous donne un but, un sens et le "pour aller où" nous indique les étapes qu'il faudra parcourir et le sens dans lequel il faudra les parcourir pour qu'elles nous conduisent au but proposé. Sans direction, nos actes courent le risque de se diluer dans n'importe quel espace ou temps vides et d'accroître l'anxiété en prouvant que nous ne pouvons pas atteindre des objectifs concrets. Mais, de nouveau, c'est notre faute dans la mesure où nous n'avons pas déterminé ces objectifs ni le sentier pour y parvenir. Celui qui dit "pour aller où" crée également les moyens pour arriver, parce que connaître le point final procure l'habileté pour obtenir les outils adéquats.

Dans quel but étudier la philosophie ?

Nous étudions la philosophie pour chercher la sagesse qui nous manque, pour découvrir peu à peu les lois qui régissent la vie et par conséquent, nous-mêmes. Pour gouverner nos personnalités et les rendre plus harmonieuses, et pour offrir aux autres le résultat de nos expériences, en leur évitant, si possible, des souffrances inutiles. Pour connaître la raison de tant de réalités qui sont apparemment incongrues : la douleur, la maladie, la misère, la violence, la folie, les haines, les peurs... Pour reconnaître, à travers les incongruités, des exercices que nous propose la vie, pour nous aider à avancer dans l'évolution à laquelle nous prétendons. Pour être actifs devant l'histoire et ne pas laisser passer le temps en vaines lamentations ; pour nous appuyer sur l'héritage de la tradition et générer de nouvelles voies de transmission vers l'avenir. Pour réveiller le sentiment endormi de solidarité humaine, et voir tous les autres comme des êtres dignes de notre compréhension. Pour dévoiler le mystère de Dieu et couvrir nos âmes de ces voiles mystérieux, les ramenant dans leur patrie d'origine.

Qu'avons-nous à gagner ? Est-il besoin d'un plus grand bénéfice que ce qui est exposé dans les lignes précédentes ?

Frères humains...

Nous sommes convaincus que l'âme humaine est "une" dans son essence et qu'on ne peut établir de distinctions fondées sur la présentation extérieure des corps. Au contraire, nous travaillons pour le développement et l'expression de l'âme qui, bien souvent, reste endormie à l'intérieur de corps qui savent uniquement s'affronter ou s'aimer en fonction des circonstances.

Sciences, religions, arts et philosophies : tous les peuples au long de l'histoire ont eu de magnifiques expressions dans un sens ou un autre, et l'étude en profondeur de toutes permet de prouver que les similitudes sont beaucoup plus nombreuses que les divergences.

Un remède à la désunion et à la méfiance

Le mot *unifier* vient du latin *unus* et *facere*, *faire un*, c'est-à-dire réunir des parties différentes bien que cohérentes, et les conjuguer de façon à atteindre une unité harmonieuse et homogène. C'est un acte de rapprochement, de connexion qui, s'il n'existait pas, ferait que chaque partie ou chaque être suivrait des chemins différents – ce qui n'est pas un mal – mais divisés, désunis et opposés. Sans ce geste d'unification, il nous échoirait de vivre dans un perpétuel chaos, dans lequel il serait très difficile de trouver un sens à l'existence et à ses différents événements.

Précisément, la maladie qui s'abat sur notre présent historique – et il y a déjà pas mal de temps que nous la traînons de façon larvée – est le séparatisme, le démembrement, la lutte ouverte entre factions qui se font chaque fois plus petites, jusqu'à arriver à l'affrontement d'un individu contre un autre. Cela se vit dans le milieu politique, culturel, religieux, artistique, social, familial ; cela se perçoit dans les rues des grandes villes et se fraie un chemin dans les petits villages. La méfiance est maîtresse et régente des âmes et cela se convertit en désobligeance, en brusquerie, en irritation, en absence de scrupules, en manque de sincérité, en égoïsme.

Une bonne dose d'unification est ce dont nous avons tous besoin, d'une manière générale et chacun en particulier. Recommencer à expérimenter la réalité de cette grande famille que constitue l'humanité, le bonheur de l'amitié, de la confiance mutuelle, du désir de collaborer et d'aider, de pouvoir se regarder à nouveau dans les yeux et d'y trouver des vérités lumineuses au lieu d'ombres effrayantes.

Ce qui est facile et ce qui est difficile

Le facile en soi n'existe pas. Si on demande à chacun, un à un, ce qu'il considère comme facile, tous répondront de façon différente. Il y a ce que nous savons et pouvons faire et ce que nous ne savons ni ne pouvons faire. Le facile est ce qu'on a déjà appris, ce qu'on domine déjà et qu'on réalise avec aisance. Ce qui a été appris et assimilé se manifeste sous la forme d'une certaine facilité pour agir dans la vie.

De la même façon, le difficile en soi n'existe pas. Cela dépend de la personne et du savoir qu'elle a accumulé. Ce qu'on ne connaît pas, ce qui se présente comme quelque chose de nouveau, porte le masque de la difficulté. Il est probable que, pour ne pas savoir répondre à la situation, on continue à appeler ''difficile'' pendant de nombreuses années une même chose, qui n'est pas tant inconnue et nouvelle que répétitive et redoutée, ce qui signifie qu'elle n'a pas été véritablement assumée et expérimentée. L'expérience de la crainte et de la peur de ce qui est nouveau ne nous conduit pas à maîtriser ce qui est difficile. C'est précisément pour éviter les difficultés qu'il faut éviter tout soupçon de crainte.

Il est naturel que la vie soit pleine de choses difficiles. Tous nous sommes venus au monde pour apprendre, pour cumuler de nouvelles connaissances, pour faire que notre âme s'éveille et récupère ce qui lui appartient et puisse s'ouvrir à de nouveaux enseignements. Si tout était toujours facile, ce serait une mise en garde : ou nous stagnons dans ce que nous savions depuis longtemps, ou nous sommes devenus inconscients au point de ne pas reconnaître les nouveaux échelons implicites dans le parcours de toute ascension verticale.

Ce qui est difficile est ce qui nous confronte à notre étape actuelle d'évolution, à ce qu'il nous convient d'acquérir en ce moment de notre développement, à ce qui nous apparaît comme une épreuve difficile mais est néanmoins l'exercice indispensable pour que les expériences s'ouvrent un passage dans la conscience et non qu'elles nous effleurent sans que nous le sentions, superficiellement.

Ce qui est facile est ce qui m'appartient déjà et ce qui est difficile est ce que je dois conquérir.

Convaincu ou fanatique : à quoi les reconnaît-on ?

Notre intention est de clarifier la différence que nous voyons entre conviction et fanatisme pour que, les choses mises à leur place, chacun puisse porter un jugement, tant sur lui-même que sur les autres, avec un peu plus de discernement.

Le convaincu

La conviction est un profond engagement, psychologique, intellectuel et moral, issu d'une adhésion progressive et fondée sur de bonnes raisons, des preuves, des expériences, des modèles et des bases solides.

Une personne qui a des convictions manifeste une santé globale, une assurance enviable, elle sait d'où elle vient et où elle va, ce qui lui permet de se mouvoir avec équilibre et bon sens. Les convictions naissent de l'exercice constant de nos aptitudes intérieures et de la transformation progressive d'opinions changeantes en jugements stables. Ce n'est ni de l'ankylose ni de la stagnation ; au contraire, une personne qui a des convictions vit au rythme des idées, car elles ont une énergie propre et un rythme naturel de développement.

Une personne qui a des convictions est tolérante. Elle est ferme pour ce qui la concerne mais laisse place aux autres. Toujours disposée à écouter, elle ne déprécie pas ceux qui pensent autrement. Elle possède une tolérance active : elle entend les autres, expose et défend ses propres idées sans blesser, sans offenser. Elle sait créer un espace pour elle-même et pour les autres. Elle ouvre un espace, génère de l'espace, reconnaît son propre espace, n'envahit pas les autres espaces, ne harcèle, n'inquiète ni ne maltraite son entourage. Elle ne s'impose pas de façon tyrannique ni ne se considère comme la somme de toutes les perfections. Sa conviction est ce qui l'aide à avancer, à être toujours un peu meilleure.

Le fanatique

Une personne fanatique pense peu ou pas. Elle admet comme bon ce que les autres lui donnent et développe, plutôt que des sentiments, des passions incontrôlables qui la poussent à des actions inconscientes dont elle ne se repent même pas parce qu'elle ne peut les évaluer.

Le fanatique ne connaît qu'une idée, si tant est qu'il la connaisse. Il est plus exact de dire qu'il n'accepte qu'une idée et qu'il n'est pas parvenu à cette conviction par une adhésion personnelle mais sous l'effet d'une contrainte habilement dissimulée dans la plupart des cas. Le désir latent d'aider l'humanité, qui ne parvient pas à être canalisé de façon adéquate chez tant de gens, fait de lui une proie facile pour les – déjà – fanatiques qui ont besoin d'utiliser d'autres imbéciles qui entrent dans leur jeu.

Le fanatique est intolérant par définition. Il n'accepte même pas l'existence de gens qui puissent sentir et penser autrement ; c'est pourquoi tous les moyens lui sont bons pour tenter de les éliminer, et la mort et la torture font partie des terribles manifestations de cette attitude. Le fanatique n'évolue pas, il est incapable de dialoguer. Il se contente de crier tout haut ses principes pour s'étourdir avec sa propre voix et ne laisser place à aucune autre opinion. Ce qu'il a lui suffit grandement.

Faut-il laisser les circonstances décider pour nous ?

S'il y en a beaucoup qui détestent avoir à décider entre une chose et une autre, la vie entière est un choix constant, et si nous ne savons pas assumer cette responsabilité de façon personnelle et consciente, la vie se chargera de choisir pour nous, nous menant de part et d'autre, de façon que ce soient les chocs douloureux qui éveillent notre volonté de décider par rapport à ce qui nous convient véritablement.

L'amitié philosophique

Ce qui nous manque et que nous voulons retrouver – parce que nous savons qu'elle n'a jamais cessé d'exister – est l'amitié philosophique, celle qui implique l'amour de la connaissance mutuelle, celle qui va au-delà du temps et des difficultés, celle qui engendre des liens de fraternité authentique bien qu'elle ne passe pas par les liens du sang.

C'est pourquoi nous la définissons comme philosophique, bien qu'on ne l'appelle pas ainsi dans la vie courante. Elle est philosophique parce qu'elle inclut l'amour et le besoin de connaissance. Elle fait que deux ou plusieurs personnes tentent de se connaître mutuellement, de se comprendre, en passant par la connaissance de soi. Elle fait naître le respect, la patience et la constance, elle pardonne sans laisser de corriger et pousse chacun à être toujours meilleur pour mériter son ami. Elle éveille le sentiment de solidarité, de l'appui mutuel constant, elle sait supporter les distances et les souffrances, les maladies et les pénuries.

Nous la définissons comme philosophique parce que nous croyons que ce n'est qu'en partageant des idées communes, des objectifs de vie similaires, un même esprit de service et de dépassement que peut naître cette amitié qui n'est ni plante d'un jour ni averse de printemps.

Ce qui est naturel à l'être humain : penser, désirer, agir

Actuellement, le mental, ce mental si teinté de désirs, égoïste – dans la mesure où il s'intéresse fondamentalement à ce qui concerne chacun – est notre potentiel le plus élevé. Vient ensuite la psyché, avec son cortège de sentiments, de passions et d'émotions. Et enfin, vient notre corps, lié à ses besoins, poussé par ses instincts et happé par la force de la survie. En résumé, un mental qui pense, une psyché qui ressent et un corps qui agit.

Tel est donc l'ordre à établir : penser, désirer et agir. Ce qui est correct est de penser d'abord, de penser ce qu'on a désiré ou ce qu'il convient de désirer ; ensuite de laisser passer la force du désir qui débouche sur des actes concrets.

Nous savons que ces éléments sont généralement mêlés : d'abord nous désirons puis, éventuellement, nous pensons et enfin nous agissons, ce qui ne nous donne pas l'opportunité d'analyser nos désirs et de vérifier qu'ils valent la peine d'être convertis en actions, avec le risque de nous tromper sans nécessité ou sans arrangement possible.

Le naturel dans l'être humain consiste à répondre aux caractéristiques humaines. Ce n'est pas pour rien que la raison distingue l'homme de l'animal. Faisons donc usage de cette distinction : raisonnons, pensons, soyons capables de faire quelque chose de vivant de nos idées pour que la chaleur du sentiment puisse les faire vibrer et qu'elles deviennent des réalités concrètes.

La responsabilité

Il suffit de jeter un coup d'œil à la Nature pour recevoir de véritables leçons de responsabilité. Rien en elle, ni pierre, ni arbre, ni animal, ni les étoiles, ni les galaxies, n'échappe à son destin ; au contraire, ils l'accomplissent avec une régularité si merveilleuse que tout manquement à cette règle est considérée comme un "phénomène" et consigné par tous les observateurs scientifiques et tous les gourmands de nouvelles.

L'homme peut-il alors échapper à la responsabilité ? Bien au contraire. Une attitude juste voudrait que, dès le début, les enfants sachent qu'ils sont venus dans un monde qui attend beaucoup d'eux et qu'ils doivent commencer à y répondre avec de petites tâches, les leurs, les tâches merveilleusement leurs que personne ne peut leur ôter et que personne ne peut accomplir à leur place. Ainsi deviendrait réalité la présence d'une jeunesse saine de corps et d'âme, et d'une maturité adulte, sereine et capable de vivre la civilisation plutôt que de la regarder, confortablement installé, descendre la pente sur l'écran de télévision.

"Savoir c'est pouvoir"

Une chose est ce qu'on apprend et une autre – bien que leurs racines soient les mêmes – ce qu'on sait. La formule initiatique, "savoir c'est pouvoir", a été et restera une réalité. Nous ne savons que si nous pouvons, nous n'avons la certitude que la connaissance a suivi les voies adéquates que lorsque nous pouvons changer, nous transmuter, élever peut-être de quelques millimètres notre niveau intérieur, agir de manière conséquente par rapport aux idées que nous sommes en train d'acquérir.

Ce que je sais est ce que je peux faire, et tant que je ne peux le faire, même avec des difficultés et des erreurs réparables, on ne doit pas parler d'un véritable apprentissage ni d'une véritable connaissance.

A quoi servirait à l'élève d'une école de conduite de connaître de façon théorique tout de l'usage d'une voiture, s'il n'ose pas sortir dans la rue en la conduisant lui-même ? A quoi sert qu'on nous explique en quoi consiste une machine à écrire, si ensuite nous ne savons pas poser nos doigts dessus, et encore moins réussir à disposer de façon cohérente des mots sur le papier ? Nous pourrions continuer ainsi avec bien d'autres exemples qui nous paraissent logiques dans la vie quotidienne, mais que nous ne parvenons pas à transposer dans la vie intérieure.

Le secret de l'énergie

L'art difficile d'être soi-même exige le renouvellement constant des énergies mises en jeu. Nous avons tous une réserve d'énergie qui, si nous l'épuisons lors des premières tentatives, disparaît et nous laisse une sensation de vide et de désarroi. L'énergie, comme toutes les forces de l'univers, se dépense et se renouvelle cycliquement. L'énergie que l'on met en action **consciemment** génère de façon automatique de nouvelles sources énergétiques qui nous serviront à poursuivre notre effort demain et après-demain, comme si nous étions chaque fois plus puissants.

Le faible se ferme, le fort partage

Nous faisons un drapeau des différences et les employons comme des armes de séparation et même d'affrontement. Mais il n'y a que les faibles pour se protéger derrière les différences, pour y trouver leur force parce qu'ils n'ont pas d'autre méthode pour affirmer leur personnalité. Le fort, celui qui se sent assuré dans ses convictions et humble dans sa progression, est le seul dont la sécurité ne soit pas le moins du monde ébranlée, à s'approcher de tous et à partager quelque chose avec tous, car nous avons tous quelque chose à donner et quelque chose à recevoir.

Pourquoi sommes-nous nés dans ce monde, maintenant ?

Pourquoi sommes-nous nés dans ce monde, à ce moment et pas à un autre ? Parce c'est ce qui est juste, que ce soit par nécessité personnelle d'expérience ou par nécessité d'aider les autres sur la base de l'expérience que nous pouvons avoir accumulée en d'autres temps. Il est probable que nous avons vécu de nombreuses fois, dans des circonstances très variées, parfois bonnes, parfois moins, mais en chaque occasion il y a quelque chose à apprendre et quelque chose à faire.

Nous sommes nés au moment le plus approprié ; ici et maintenant, exactement quand et où il nous revient d'agir.

Nous sommes là où nous avons été appelés et où nous a conduit notre propre âme immortelle.

Invitation au voyage

Notre univers est une unité cohérente et reliée. L'inconnu peut être plus important, plus vaste, plus élevé, plus merveilleux, plus fort, plus lumineux que ce que nous connaissons, jamais il ne sera absolument différent. Nous devons aller vers l'inconnu, c'est-à-dire vers ce qui nous manque pour savoir, non pas dans la peur mais avec l'allégresse spirituelle de celui qui va découvrir les lois inexplorées de la Nature et les pouvoirs latents en l'Homme.

Apesanteur

Nous avons connu aussi des escapades vers les étoiles, vers des univers infinis, en laissant notre regard errer dans la nuit étincelante, criblée de lumières amies, en cherchant le reflet de la lune dans les eaux ou l'éclat du soleil dans une goutte de rosée matinale. Je ne me suis pas rendu compte alors combien il était facile d'échapper à la prison du temps. Aujourd'hui, les yeux fermés, je me remémore tes contes et je sais qu'au-delà des mots, nous étions en train de voyager hors de toutes limites alors que tout autour de nous était limité et pesant...

Prends ta peur par la main...

Tu as peur ? Prends ta peur par la main et marche avec elle ; l'important est de ne pas s'arrêter.

Ce conseil m'a toujours donné d'excellents résultats. Le meilleur de tous : découvrir qu'avec le temps, cette peur, qui au début me tenait par la main, n'existait plus, que j'avais les mains libres ou qu'en tous cas, je pouvais accueillir une autre peur pour marcher avec elle et m'en défaire dans la mesure précisément où je marchais.

Pour que l'action libère

Au lieu de chercher la libération **dans** l'action, on cherche la libération **de** l'action, et comme cela est impossible, le travail – considéré comme une obligation, une contrainte dont il faut se libérer – se transforme alors en sacrifice au mauvais sens du terme. Au contraire, si nous faisons de notre travail "un office sacré", un saint labeur, une offrande constante à Dieu et à notre propre condition humaine, le travail est un principe de libération.

Le meilleur travail est celui qui ne profite pas de l'énergie ni de l'effort d'autrui, mais celui qui met en jeu sa propre énergie et son propre effort. Alors, l'action se transforme en service.

A quoi reconnaît-on le vrai courage ?

S'il y en a qui parlent d'un courage réfléchi et d'un courage instinctif, nous croyons avec Platon que lorsque ces dualités se présentent de façon aussi claire, c'est que l'individu n'a pas su mettre d'ordre à l'intérieur de lui-même. Lorsqu'il y a ordre – autre façon d'appeler la justice – il y a accord entre la réflexion rationnelle et les émotions, aussi instinctives soient-elles. Si l'instinct prédomine, le courage devient témérité et pousse l'homme à affronter des dangers qui outrepassent ses moyens ou qui ne font que satisfaire sa vanité, auquel cas il se rapproche plus de l'échec que de la victoire. Si prédomine la seule réflexion froide, il est possible qu'on soit devant un homme non pas courageux, mais simplement indifférent. Comme nous le savons bien, dans notre monde de dualités, cette indifférence n'est pas précisément une vertu : celui qui ne connaît pas la crainte, celui qui jamais n'a ressenti la peur ne peut discerner le courage ou aptitude à dépasser la peur.

Nous arrivons ainsi à la conclusion que le courage est un sentiment élevé, et cela précisément parce qu'il s'exprime lorsqu'il devient l'allié de l'intelligence. Le courage qui agit en faveur des instincts n'est pas tant du courage que l'emportement déchaîné de l'instinct.

A *propos de la mort*

Pourquoi n'appeler vie que ce qui s'exprime dans les corps matériels ? N'avons-nous pas appris que, de ce que nous possédons, la matière est le plus périssable, et par là même le plus facilement affecté, corrompu, le plus sujet à la maladie, à la destruction, à la disparition ? Et qu'en est-il de nos sentiments, de nos idéaux, de nos rêves, de nos intuitions, de ces étincelles qu'un jour nous approchons, ne serait-ce que par instants, aux confins mêmes du mystère ? Cela n'est-il pas la vie ?

Face à la crainte, l'entendement s'obscurcit et il est possible que nous en venions à nous demander : mais qui me garantit que les rêves, les idées, les sentiments, ne disparaissent pas de la même façon que le corps physique ? Rappelons-nous à nouveau : tout cela disparaît-il lorsque notre corps endormi rêve pendant la nuit ? Non, au contraire, nous restons aussi vivants, plus même, parlant les uns avec les autres, nous déplaçant d'un endroit à un autre, jouissant et souffrant comme toujours, habités par des désirs comme toujours, nous sentant nous-mêmes comme toujours. Alors, pourquoi la mort, qui n'est qu'un rêve plus profond et plus long, les supprimerait-elle ?

La voix de la conscience

Le philosophe a besoin de l'approbation de sa conscience. Mais attention, n'appelle pas conscience tes simples envies, tes doutes sans réponses, tes faiblesses, ton égarement. Pour que la conscience puisse nous parler et nous signaler ce qui convient ou non, il lui faut d'abord s'éveiller en tant que conscience. Il faut avoir agi et s'être trompé sans crainte de reconnaître les erreurs, sans crainte de rectifier ce qui n'est pas valable. Il faut être passé à travers beaucoup d'épreuves pour reconnaître cette voix intérieure comme quelque chose d'intime, de stable, de consubstantiel au Moi supérieur, une voix qui ne se modifie pas selon le climat de passions ou des modalités changeantes.

A *propos de la colère*

L'homme colérique est esclave à double titre. Il l'est de lui-même, parce qu'une partie de son âme, celle qui est grossière et rustre, a plus de pouvoir que son âme subtile et pensante.

Il l'est aussi des autres. La perte du contrôle de soi nous laisse sous le contrôle de ceux qui savent tirer parti de cette circonstance à leur profit. L'âme du colérique est entre les mains d'autrui. Qu'il est facile d'irriter le colérique avec les arguments qui le font exploser ! Qu'il est facile alors de lui faire prendre les décisions que son "âme" circonstancielle lui inspire ! Le maître de la situation lui fera croire que c'est lui qui dirige ses actes et ses paroles, mais tout est déjà décidé à l'avance.

Il est bon de dominer la colère et bien mieux encore de la transformer en courage. Le courage met en jeu le véritable cœur, la véritable âme humaine. Le courage consiste à voir les choses telles qu'elles sont, à modérer les émotions, à écouter, à interpréter les idées, à choisir ce qui est valable, à rejeter ce qui est inutilisable, à agir avec justice.

Intuition et mystique

Par mystique, nous n'entendons pas une simple attitude contemplative, mais une vision intuitive et intelligente du monde qui nous transforme et nous conduit à agir en conséquence, en accord avec les lois naturelles.

Comment s'obtient cette vision intuitive et intelligente ? Indubitablement, c'est une vision ou perception qui va au-delà de l'intellectuel et du rationnel. C'est l'âme qui perçoit, c'est l'aspect le plus élevé de notre conscience. Pour les anciens Égyptiens, c'est le cœur, ce cœur valeureux, doté de courage, qui constitue l'âme humaine. Nous extrayons du livre, "Le monde magique de l'ancienne Égypte"[1], de Christian Jacq, les paroles suivantes : "...le centre des perceptions les plus fines est le cœur. Ce n'est pas l'organe en soi, mais le centre immatériel de l'être... Tout part du cœur et tout revient à lui, il émet et reçoit."

Le cœur nous permet de nous sentir unis à la Nature entière, à tous les êtres, et d'observer une même énergie en tout et en tous, bien qu'adaptée aux formes et aux circonstances diverses. De cette façon, il est plus simple d'entrer en contact avec son propre esprit, avec Dieu... et de rompre les terribles barrières qui, pour le mental, séparent la vie de la mort. L'énergie est une et permanente.

---

[1] Éditions Le Rocher.

La recherche du bien-être

Nous vivons dans un monde où le bien-être est devenu le premier article de consommation. C'est du moins ce qui se passe dans les pays dits développés. Il n'est pas étrange que pour beaucoup cette recherche devienne la raison d'être de leur existence.

Néanmoins, la vie quotidienne et réelle nous montre un panorama bien différent. La recherche du bien-être est une course sans fin.

Celui qui cherche passionnément, désespérément, un bien-être qui se trouve hors de lui-même, pénétrera dans un labyrinthe dont il est difficile de sortir, au point qu'il peut passer toute son existence à sillonner des voies erronées qui conduisent à d'autres plus fallacieuses encore. Celui qui se trouve dans cette situation vivra toujours dans la dépendance des personnes et des circonstances ; il sera aussi heureux que le lui permettront les personnes avec lesquelles il vit et aura autant ou aussi peu de satisfactions que le dicteront les circonstances.

Il faut chercher dans l'âme la mesure de notre bien-être, parce que l'âme, à l'état naturel, est la source de tout bien-être.

Egoïsme et égocentrisme

L'égocentrisme consiste à se sentir le centre du monde et des événements. C'est vouloir être le plus important, le centre de l'attention des autres.

L'égoïsme consiste à se sentir, non seulement le centre, mais le seul au monde. On sait qu'il existe d'autres êtres, mais c'est comme s'ils n'existaient pas. Dans ce cas, s'applique parfaitement la parabole des grues que raconte Platon dans ses Dialogues. Après moult réflexions, les grues, réunies en conciliabule, en vinrent à la conclusion que le monde était divisé en deux grandes parties : les grues et les "non-grues". La même chose se passe avec l'égoïste : pour lui, la division du monde est claire : lui-même, qui est le seul important, et les autres qui sont une ombre obscure du "non-moi".

L'égoïste n'ignore pas la pluralité de la vie ; simplement elle ne l'intéresse pas, il ne se soucie pas de ce qui peut arriver aux autres du moment que lui est satisfait. Il est égocentrique, certes, mais en plus il ne fait aucun cas du reste des êtres.

La loi du karma ou les leçons de la vie

De même que nous comprenons le blanc parce que nous le comparons au noir, nous comprenons la loi par les effets qu'elle produit en nous et sur nos existences.

Chaque fois que nous nous éloignons du chemin, nous nous cognons contre ses murs latéraux, qui, grâce à leur élasticité, nous ramènent dans le bon sentier. Ces coups peuvent être plus ou moins forts, plus ou moins douloureux, proportionnellement à notre éloignement de la loi. Mais si nous n'avions pas ces effets douloureux, nous ne tournerions pas les yeux de notre âme vers le pourquoi de cette douleur, nous ne nous intéresserions pas à la cause de nos erreurs, nous n'essayerions pas d'éviter les erreurs, ni de les analyser pour trouver les défauts.

Une chose est de vivre le karma avec passivité, en supportant ses avertissements d'un esprit résigné, autre chose, très différente, est de l'interpréter pour se projeter dans le courant de la vie, dans son sens. Au lieu de nous arrêter sur nos plaintes et nos égoïsmes qui nous amènent à considérer notre douleur comme unique, au lieu de jouir de la faiblesse du "pourquoi précisément à moi", il faut aller à la poursuite des causes. Les effets sont une conséquence : la conséquence de quoi ?

Et rappelons-nous une fois de plus que le véritable philosophe ne se contente pas des questions. Le pourquoi est une première réaction logique de la personnalité. Le plus important est la réponse aux questions, c'est d'arriver à comprendre la racine de tout ce qui nous arrive et cesser de nous considérer comme les éternels persécutés de la vie pour assumer la nature de celui qui apprend de tout ce qui lui advient.

L'authentique jeunesse

Où se trouve la fontaine de jouvence ? Où demeure l'Aphrodite d'or, tant recherchée par les mortels avides d'une beauté qui ne fane pas ? Pas dans le corps, qui s'use de par la loi de la vie ; pas dans la psyché, qui tend à la recherche insatiable de sensations, ce qui la détériore encore plus ; pas non plus dans le mental avide de connaissances mal assimilées et mal fixées, ou le mental presque vide qui ne pense que ce qu'il sent. La racine que nous cherchons est dans l'esprit lui-même qui, n'ayant pas d'âge, peut nous donner une énergie toujours active, une mesure du temps qui rend le passé utile et l'avenir intéressant. Ce qui en nous est permanent, cette fontaine cachée, nous donne la touche de jeunesse qu'on appelle Aphrodite d'or, l'Être jeune, l'Être vivant.

Quand le printemps bourgeonne année après année, il le fait apparemment de la même manière, mais jamais de façon semblable. Il est certain qu'il nous apporte une nouvelle fois la renaissance de la Nature, mais la Nature n'est pas statique ni ne renaît à l'identique. On ne parle pas d'une "naissance" mais d'une "renaissance". Et renaître c'est n'être jamais mort, c'est avoir acquis de l'expérience, avoir pris du repos pendant l'automne et l'hiver pour s'ouvrir un passage vers l'expansion un tantinet plus haut que lors de la période précédente. C'est vaincre l'obscurité qui de temps à autre nous menace, l'inertie qui soudain nous paralyse, le découragement qui corrode l'enthousiasme. Le printemps est une grande bataille dans laquelle la lumière se manifeste après avoir surmonté quantité d'épreuves terribles dans les entrailles du temps et de la Nature.

La lecture est un exercice pour l'âme

Efforce-toi de voir dans les livres des êtres vivants, parce que les mots qui y sont écrits ne sont pas seulement des signes sans signifié. Ce sont des voix vivantes qui récupèrent leur énergie dans la mesure où tu mets ton âme dans la lecture. Si tu lis avec les yeux du cœur, les vérités statiques des lignes et des pages deviendront des êtres intelligents qui viendront à tes côtés t'aider chaque fois que tu en as besoin. Ils te rappelleront ce qui te convient quand tu souffres ou quand tu ris, quand tu doutes ou quand tu découvres une vérité jusque-là voilée. Ils te conseilleront dans le doute et dans le désarroi ; ils ratifieront tes bonnes décisions. Ils élargiront ta vision du monde. Ils te rapprocheront des autres êtres humains. Ils t'inspireront du respect pour les sages et de l'amour pour ceux qui en savent moins et attendent une miette de ce que tu es toi-même en train de recueillir.

La lecture est un exercice pour l'âme. Elle te permet d'être seul tout en partageant ton être avec tout l'univers. Elle t'enseigne à te concentrer sans effort, avec le naturel de celui qui parle avec un vieil ami. Elle réaffirme la mémoire et restaure le souvenir. Elle ajuste la discipline et développe l'art. Elle te donne le sens de l'ordre et l'envol de la poésie. Elle fait des symboles graphiques un monde de petites créatures qui cohabitent en toi et sortent de toi sous forme de mots sonores, comme une petite sagesse qui est la tienne et celle de tous. Elle t'ouvre le livre sacré de la Nature et des êtres.

J'ai des idées, tu as des idées, il a des idées... Et après ?

Nos idées sont valables dans la mesure où elles sont bonnes et justes pour nous et pour tous, et dans la mesure où nous pouvons les unir aux sentiments les meilleurs pour les appliquer ensuite de la façon la plus adéquate. Une idée isolée, sans sentiment et sans action consécutive, est une idée condamnée à mort.

La pratique de la vie quotidienne se charge de nous montrer la difficulté qu'il y a à amener au niveau des faits ce que nous pensons ; nous restons plutôt, généralement, au niveau des rêves ou, mieux dit, des rêveries, apaisant ainsi nos désirs et évitant l'effort qu'exige toute idée pour se transformer en réalité concrète.

Notre maître : la vie !

Il est fondamental de comprendre qu'il y a une raison à ce qui nous arrive et que le destin, la vie, les dieux, ou le nom qu'on veut donner à l'enchaînement des causes et des effets, n'est pas dû à un hasard capricieux.

Pour sortir victorieux d'une épreuve, aussi difficile soit-elle pour nous au départ, il faut en connaître les causes, les causes multiples qui aboutissent à l'effet actuel. Connaître les causes est le premier pas nécessaire pour arriver aux solutions. Mais la seule connaissance n'est pas suffisante pour résoudre un problème.

Cette connaissance, qui ne dépasse pas le plan rationnel ou qui, comme beaucoup, produit un certain impact émotionnel, devient stérile si elle ne suit pas la voie naturelle pour aboutir à l'action. Le second pas indispensable pour que le karma remplisse sa fonction de formation de l'être humain consiste à passer à l'action.

Nous savons que nous sommes face à une difficulté de la vie. Nous en avons analysé les causes possibles. Il faut maintenant préparer un plan d'action et le mettre en pratique. Surtout le mettre en pratique. Peu importe que le plan conçu ne soit pas parfait et qu'il ne vienne pas à bout des problèmes. Mieux vaut se tromper dans l'action que rester inactif par peur de se tromper. Celui qui se trompe mais agit intègre en lui-même la pratique du mouvement, de la marche, rompt l'inertie et combat la peur. Plus encore : il développe son intelligence pour pouvoir reconnaître peu à peu quelles sont les décisions les meilleures et les plus opportunes.

Evolution : prêts ? Partez !

Si nous admettons que nous nous trouvons dans le courant de l'évolution, nous devons considérer que toutes les circonstances dans lesquelles nous nous trouvons sont justes pour nous.

Une chose est de se laisser conduire et une autre de cheminer par ses propres moyens : ce dernier choix consiste à admettre que nous nous trouvons dans le courant de l'évolution. C'est percevoir que la vie ne peut être un concours de circonstances répétitif et inutile, dont la plupart nous apportent plus de souffrance que de plaisir. Au contraire, chaque événement, pour insignifiant qu'il paraisse, revêt un sens particulier et nous transmet un enseignement juste, celui dont nous avons besoin à ce moment de notre existence.

Ils parlent : la montagne et le caillou...

Je ne veux pas vous décrire la magnificence des montagnes, celles qui sont austères et arides, celles qui saisissent par leur hauteur, celles qui émeuvent par la verdure des arbres qu'elles abritent... Elles parlent dans leur langage permanent de stabilité, de constance, de savoir être et exister. Mais à leurs côtés, se trouve le petit caillou, qui attire notre attention au bord de la mer, rayonnant dans son humidité et le brillant que lui donne le soleil. On le ramasse et on le garde, assuré d'avoir trouvé un trésor de couleur et d'éclat, jusqu'à ce que, la nuit venue, quand on le trouve oublié au fond d'une poche, on ne voie qu'un caillou opaque, sans grâce aucune ! Ne le jette pas, car là est la leçon ! Remporte-le à la mer, pose-le face aux rayons du soleil, et le miracle de sa beauté réapparaîtra. Et pourquoi ne pourrions-nous faire la même chose que la pierre ? Ne pourrions-nous renouveler notre beauté, notre éthique et notre esthétique, en sachant entrer en contact avec ce qui fait ressortir notre lumière au lieu de nous détériorer dans l'ombre de l'ignorance ?

Ils parlent : l'arbre et la violette...

Chaque plante nous raconte quelque chose de son histoire, de sa manière d'être, depuis la petite, d'apparence insignifiante, cachée parmi les pierres ou blottie dans une crevasse, jusqu'à l'arbre majestueux aux branches chargées de feuilles et de fruits. Il faut savoir parler avec eux : l'arbre nous contera son sens du devoir et sa joie à suivre le rythme des saisons, montrant que la vie continue en dépit des changements ; la petite plante nous donnera un enseignement sur la constance dans l'accomplissement de son destin là où il lui est échu de s'exprimer. Ni l'arbre ni la plante minuscule ne cessent de s'ancrer dans la terre ni de s'élever vers le ciel.

Vaincre la peur

Au cœur même de la peur − si c'est une peur "vivante" et non paralysante − se trouve la force qui nous aide à en sortir. De la même façon qu'au cœur de l'obscurité se trouve la petite étincelle qui deviendra lumière.

La peur ne paralyse que lorsqu'on lui accorde une valeur définitive : il y a la peur et rien que la peur. La peur laisse place au courage quand on la prend comme une épreuve : il faut apprendre à voir les dangers, réels ou imaginaires, pour savoir contre qui ou quoi nous luttons. La peur, dans ce cas, est une incitation au courage. Quand on sait ce qu'on craint, on peut agir pour croître et assumer l'importance de ce qui nous effraie.

Que la peur soit le premier des ennemis sur le chemin de la sagesse ? Nous le savions déjà, mais il faut en faire l'expérience. La sagesse ne consiste pas à se remplir la tête d'idées qui ne seront jamais appliquées (précisément par peur ou par lâcheté, ou par confort, autre forme de la peur et de la lâcheté) ; la sagesse consiste à apprendre à vivre, à évoluer, à arriver à se sentir plus solide et plus assuré.

Il est évident que, pour atteindre la sagesse, il faut traverser bien des chemins inconnus, il faut s'ouvrir un passage à travers la forêt touffue des expériences ; rester derrière par peur, croire qu'on évitera ces rencontres avec l'inconnu, c'est juste différer ces rencontres avec l'inconnu, et pire encore, vivre ce qui nous attend dans l'ombre permanente de la crainte, de ce qu'on aurait pu faire et qu'on n'a pas fait dans l'attente du héros intérieur dont la naissance a avorté, dans le confort médiocre de celui qui n'a pas voulu vaincre des obstacles.

La vie est un trésor de sagesse quand on apprend à vaincre la peur à chaque pas. Il s'agit de ta vie, de tes pas. N'aie pas peur.

Apprendre ? L'art de poser des questions, l'art d'écouter les réponses !

Il est bon de poser des questions, mais il n'est pas bon de le faire exagérément, au point de dépendre entièrement des indications extérieures à soi. Il faut savoir poser des questions et chercher une ou plusieurs réponses par soi-même ; si aucune ne convient, alors il faut recourir à la personne qui peut nous aider.

Le chemin de la véritable connaissance ne s'édifie pas sur ces allées et venues pseudo-rationnelles, questions et réponses qui alternent en un jeu dialectique sans contenu et sans résultats. La connaissance est tranquille, posée, pour laisser de la place à la réflexion et à l'assimilation intérieure : une question est une porte ouverte et une réponse est un nouveau personnage qui s'apprête à faire partie de notre vie. Il faut faire une place à la réponse, au personnage qui nous amène un apport digne d'être pris en compte.

Perdu(e) dans le noir ? Allume la lumière !

L'une des plus grandes difficultés auxquelles se heurte le chercheur sur son chemin est ce qu'on appelle habituellement les "problèmes personnels".

Pourquoi rencontre-t-on ces problèmes personnels, essentiellement émotionnels ? Par manque de connaissance de ses propres ressorts émotifs et, en conséquence, par impossibilité de résoudre les situations conflictuelles qui se présentent.

D'une manière générale, l'attitude devant le problème consiste à chercher des solutions faciles et rapides qui n'impliquent pas sa propre volonté. On recourt à des gens qu'on connaît, on demande de l'aide aux uns et aux autres, jusqu'à ce que l'horizon devienne noir faute de solutions. Le problème bloque celui qui cherche la solution hors de lui-même, et surtout celui qui part du principe que c'est l'injustice de la vie qui le soumet à de telles infortunes. L'émotion négative gagne du terrain, les idées deviennent toujours plus confuses, l'organisme commence à refléter l'angoisse et le problème prend alors la dimension d'une montagne infranchissable. Il ne reste que la souffrance, le désespoir, l'irritabilité, l'agressivité envers les autres pour la part de torts qu'ils pourraient avoir.

Il est indispensable de s'élever au-dessus du problème et de la difficulté pour trouver une réponse.

Si on sait que la racine de la difficulté se situe dans le plan affectif, il faut travailler avec l'énergie mentale pour dépasser le climat émotionnel négatif. Cela peut paraître difficile au début, mais tout est difficile tant qu'on n'a pas essayé une première fois. Il faut faire l'effort de gravir une marche, de passer au-dessus des nuages et d'accéder à la clarté de son propre discernement. Nous ne sommes pas tous sages, c'est vrai, mais nous avons tous accumulé des expériences plus ou moins importantes au point de chercher des réponses applicables au mal qui nous afflige. Il faut pouvoir accéder à l'endroit en nous où se trouvent les solutions. Certaines s'avèreront impraticables, d'autres discrètement valables, et les franchement bonnes ne manqueront pas. A force d'essayer et d'essayer, avec bonne volonté et sans le tourment de l'émotivité qui dénature, on acquiert de nouvelles expériences qui seront utiles pour des occasions ultérieures.

Critiquer ou donner l'exemple ?
Le choix nous appartient !

Celui pour qui la critique est la norme est quelqu'un d'amer devant ses propres échecs, quelqu'un de suffisamment égoïste pour en faire retomber la faute sur les autres. Il ne voit les erreurs que chez les autres et n'accepte pas en lui-même la moindre faute, pas plus qu'il n'accepte qu'on les lui signale.

Il exige constamment des exemples des autres, mais ne considère pas que lui-même doive en donner ; le critique se croit "l'exemple parfait" dans tous les domaines.

Que la société se garde de ceux qui exigent des exemples mais ne les donnent pas ; ce sont ceux-là même qui n'utilisent jamais ce qu'ils vendent ni n'appliquent ce qu'ils enseignent ; en d'autres termes, ce sont des trompeurs. Gardons-nous des critiques permanents parce qu'ils ne sont pas bons pour des œuvres d'envergure, ils ne sont pas bons pour construire l'avenir ; ils ne sont bons qu'à saper ce que font les autres.

Tâchons de donner de bons exemples et ne nous soucions pas tant de ceux que donnent les autres.

Égaux ou inégaux ?

L'égalité est dans nos esprits, dans le but vers lequel nous avançons, dans les enseignements que nous partageons, dans les espaces dans lesquels nous travaillons. Et dans bien d'autres choses encore, similaires à celles que nous venons de citer. Nous sommes assurés que ces égalités essentielles favorisent une saine vie commune et peuvent limer les aspérités qui surgissent des différences naturelles, qu'on ne peut éviter ni occulter.

Sommes-nous inégaux en quelque chose ? Oui, en beaucoup de choses, sans que cela doive s'interpréter comme une offense. Nous sommes inégaux en ce qui concerne les sexes, les âges, l'éducation reçue, des facteurs personnels de développement, dans nos goûts, dans notre manière de nous exprimer, dans nos rythmes de travail... et des douzaines de points encore entre lesquels on ne peut établir de similitudes par le seul fait de les imposer. Nous savons que ces différences n'affectent pas l'esprit essentiel, mais qu'ils affectent la personnalité et, malheureusement, nous avons l'habitude de travailler quotidiennement beaucoup plus avec la personnalité qu'avec l'esprit, c'est-à-dire avec les différences et non avec les égalités.

Il faut comprendre qu'en dehors des valeurs essentielles, nous autres humains sommes différents et que ces différences méritent attention, compréhension, pour pouvoir arriver en fin de compte au respect.

C'est tellement plus simple, une équipe à soi tout seul !

La difficulté à travailler en équipe est un signe d'égoïsme. Et l'égoïsme est une entrave capitale au travail intérieur lui-même. Celui qui ne sait pas vivre avec les autres, ne sait pas non plus vivre avec lui-même. Celui qui n'y parvient pas avec les autres n'y parviendra pas non plus pour lui-même.

Une raison pour ne pas agir :
que vont penser les gens ?

Cela se traduit plus ou moins comme ceci : que diront les gens ? Que penseront les gens de moi ? Est-ce que je ne perdrai pas l'affection et le respect des gens ? Les gens sauront-ils comprendre, apprécier, justifier ce que je vais faire ? Et bien d'autres arguments qui manifestent la peur qui est la nôtre de ne pas avoir l'approbation ou l'amour des gens, de ceux qui nous touchent de plus près et de ceux qui ont à voir avec nous de loin.

Si difficile que ce soit à accepter, les gens qui nous aiment vraiment essaieront de nous comprendre quoi que nous fassions, surtout si nous faisons ce que nous considérons comme juste et nécessaire. Et les gens qui ne nous aiment pas continueront à ne pas nous aimer, quoi que nous fassions. Ce n'est pas parce que nous satisferons les uns et les autres que nous continuerons à susciter leur affection. La personne qui donne son affection à celui qui se conforme à ses goûts, nous enlèvera cette affection au moindre changement d'humeur ou d'attitude de notre part.

Sans faire de tort aux gens de manière froide et cruelle, nous avons tous nos propres devoirs à remplir. Si nous accomplissons quelque chose qui nous est nécessaire et que nous voyons comme indispensable à notre croissance, nous ne ferons pas plus de tort aux autres qu'en nous réduisant à l'inertie et à l'apathie. En outre, les autres personnes aussi ont des actions à accomplir, et nous voir décidés et clairs dans nos objectifs pourra les aider bien plus que nous voir plongés dans l'incertitude.

Les autres nous demandent-ils la permission pour agir ? Combien, parmi ceux qui nous entourent, ou ceux qui vivent dans nos rues et nos villes, tiennent compte de notre approbation préalable pour diriger leurs vies ? Pourquoi stipulons-nous ces conditions concernant l'approbation des autres ?

Nous ne proposons pas un libre égoïsme, selon lequel chacun fait ce qu'il veut. Nous ne faisons que défendre la liberté d'action naturelle de chaque être humain, sans blesser les autres, mais sans se blesser non plus soi-même.

Une raison pour ne pas agir : les circonstances ne sont pas réunies !

Cela se traduit plus ou moins comme ceci : quand tout va bien, quand chaque chose sera à sa place (ou ce que je considère comme sa place), quand toutes les conjonctions des astres seront favorables, quand le climat sera propice, quand certains problèmes pendants seront résolus, quand les travaux de ma maison seront terminés, quand j'aurai changé de travail, quand j'aurai fini mes études..., alors je pourrai agir sans risque.

Inutile de dire que ce concours de circonstances ne sera jamais ce que nous le désirons. Ou bien ce que nous désirons est à ce point impossible que nous le posons ainsi, précisément pour fuir l'action.

Chaque action a son moment et son lieu, et bien qu'elle soit liée à bien d'autres circonstances, elle jouit d'une certaine indépendance. S'il n'en était pas ainsi, nous ne ferions jamais rien.

Peut-être, en donnant de l'indépendance aux actions à faire, arriverons-nous à résoudre quantité de circonstances extérieures contraires.

A la source de l'enthousiasme : l'intuition

L'enthousiasme authentique est bien plus qu'une émotion, même si les émotions peuvent y conduire, si elles sont soigneusement dirigées.

Cet enthousiasme supérieur vit sur un plan plus élevé, là où réside l'intuition, à la source même de l'inspiration sacrée. C'est pourquoi il est "Dieu en nous", l'inspiration divine ou ce que les dieux nous inspirent. Les intuitions surgissent comme une étincelle immédiate de compréhension totale et profonde ; elles sont de feu, comme les émotions, mais d'un feu beaucoup plus stable parce qu'il n'est pas soumis au caprice de la psyché ni au jeu des doutes du mental.

L'échec, condition de la réussite

La crainte de l'échec est clairement une absence d'action pour atteindre la réussite. Avant de commencer à faire quoi que ce soit, le mental et les émotions nous mettent face à la terrifiante éventualité d'un échec, et plutôt qu'assumer ce risque, nous choisissons l'autre risque plus important qui est celui d'échouer de toutes façons, parce que celui qui ne fait rien ne réussit rien.

Qu'est-ce que l'échec ? Tout juste une erreur, car si nous nous en remettons à l'inéluctable évolution de la vie, il n'y a pas d'échec définitif. Toutes les erreurs peuvent être corrigées, surtout si elles sont envisagées sans angoisse et reconnues sincèrement et à temps.

Il est clair que, sans le courage du risque, il n'y aura pas égalité d'âme pour assumer les erreurs. Mais si on ne risque rien, en dépit du fait que la noble condition de disciple consiste à savoir se tromper, à savoir écouter de bons conseils et à savoir les appliquer, on n'obtiendra ni mauvais ni bons résultats.

Il ne restera que le goût amer de la peur de l'échec, avant d'avoir rien tenté, ou après un premier essai manqué. L'action éloigne l'échec.

Je peux !

Les problèmes ne sont pas faits pour nous écraser, mais pour mettre à l'épreuve notre aptitude au dépassement. Et si nous n'essayons pas continuellement les manières de nous en sortir, même dans les pires circonstances, la peur sera chaque fois plus grande et le manque de confiance en soi croîtra en proportion.

Tout problème a une solution et il faut la trouver. Ce à quoi on ne peut prétendre est une solution parfaite ou définitive. La perfection et le définitif ne sont pas des plantes de ce monde. Il y a des solutions plus ou moins bonnes qui servent à pouvoir poursuivre sa marche ; ultérieurement, elles pourront s'améliorer ou varier dans la mesure où apparaissent de nouveaux problèmes, ce qui est inévitable à l'école de la vie.

Mais il faut essayer, il faut utiliser ses propres forces, il faut oser commencer et ne pas faire marche arrière devant les échecs. Comme tout ce qui implique un apprentissage, il faut des essais, des erreurs et des corrections. Mais comme il est rassurant de sentir que nous pouvons, que ces petits pouvoirs qui dormaient à l'intérieur commencent à se manifester ! Je peux, je peux ! est quelque chose que nous devons nous répéter sans cesse pour permettre aux pouvoirs humains naturels de voir le jour.

Négligence ou diligence ?

• La négligence se nourrit de nos "oublis", qui n'en sont pas mais qui sont le désir de ne pas nous rappeler les choses ennuyeuses, pesantes, bref, difficiles, "ce que nous ne voulons pas faire". C'est pourquoi nous oublions, pourquoi nous répondons si souvent par le terrible refrain "j'ai oublié", qui veut dire, "je n'ai pas voulu m'en souvenir".

• La négligence se nourrit de nos retards : "j'ai encore le temps, il me reste encore du temps pour..., je le ferai demain, je verrai si je trouve quelqu'un pour le faire, il n'y a pas de problème...". Ces ajournements reviennent à des oublis ; la seule différence est qu'au lieu de reléguer les obligations dans le subconscient, nous les reléguons dans le temps.

• La négligence se nourrit des choses faites à moitié, pour se tirer d'affaire, pour faire l'indispensable ou un peu moins, sans qu'on remarque trop le peu d'efficacité. Les choses faites à moitié sont pires que les choses mal faites : si nous devons donner l'exemple, nous ne le donnerons guère avec un travail auquel manquent les détails, mal terminé, de qualité douteuse, à quoi s'ajoute le mauvais goût d'attribuer la faute à d'autres compagnons ou "aux circonstances difficiles", pour ce qui aurait pu être et n'a pas été.

Le secret des petites choses

Peux-tu imaginer un bon orateur qui avale la majeure partie des arguments et des mots, dans sa hâte d'arriver à l'exposition finale de son idée ? N'est-il pas bien meilleur, celui qui sait parler lentement et avec plaisir, nous conduisant par la main d'une idée à l'autre pour aboutir à la couronne finale ? Dirait-on que les mots qui composent un morceau d'éloquence sont routiniers et ennuyeux ?

Prête attention aux petites choses ; elles ont leur propre langage, leur propre expression. Dans chaque petite chose, il y a une grande espérance latente. Sois attentif aux détails ; ne les méprise pas, pour insignifiants qu'ils paraissent et aussi inaperçus passent-ils aux yeux des autres. Respecte-les et respecte-toi : respecte ce que tu vois et ce que tu sais que tu dois faire ; respecte les petites choses cachées dans les recoins du temps et de l'espace, car elles sont le support invisible des grandes choses.

On essaye ?

Personne ne sait bien faire les choses dès le premier instant. Tous, jusqu'aux plus grands sages et aux plus grands Maîtres, ont eu besoin de leur période de pratique et d'apprentissage. Tous ont mis à l'essai – et nous aussi devons essayer – la façon d'appliquer les connaissances, en commettant les erreurs propres à celui qui essaie. Et en avançant aussi, peu à peu, comme toute personne qui essaie en conscience. Il n'est pas question de répéter des actions de manière automatique, ou de forcer des situations formelles ; il est question de faire ce que nous nous sommes proposé, en nous voyant de l'extérieur, pour nous observer et vérifier si nous nous trompons ou si, en dépit des erreurs, nous nous améliorons peu à peu.

Et attention ! En dépit du fait que nous croyons parfois nous être amélioré, et c'est certainement le cas, cela n'empêche pas que nous puissions revenir en arrière aux erreurs mêmes que nous croyions avoir dépassées. Il n'y a pas à s'effrayer : si nous "faisons marche arrière" c'est que nous n'avions pas franchi autant de degrés que nous le croyions, ou que notre conquête avait besoin d'être renforcée pour être plus solide. La différence entre les premières erreurs et les "retours en arrière" est que dans le second cas nous nous rendons compte de ce qui se passe, et c'est beaucoup. C'est suffisant pour continuer à insister.

L'effort ? Mobiliser son énergie

Nous avons tous une certaine quantité d'énergie à notre disposition, généralement beaucoup plus importante que nous le supposons mais, comme nous ne l'utilisons pas, nous avons l'impression qu'elle est faible et réduite.

Cette énergie vaut pour tous les plans, du physique à la volonté. Il est facile d'imaginer un effort physique, bien qu'il ne soit pas si facile de le faire, mais au moins nous savons de quel type d'énergie il s'agit. Par contre, il n'est plus si simple de reconnaître l'effort, l'énergie, au niveau psychologique, mental, moral, spirituel.

Dans les plans plus subtils, l'effort est en relation avec le bon état d'esprit, un état d'esprit élevé. Psychologiquement, c'est l'énergie qui nous permet de garder un état d'esprit serein, stable, joyeux, loin des émotions négatives et obsédantes. Il faut faire effort, il faut employer beaucoup d'énergie pour atteindre cet état d'esprit si particulier, mais cela en vaut bien la peine.

Mentalement, l'énergie est consacrée à clarifier toutes les idées que nous acquérons, au lieu de nous mouvoir dans des nébuleuses complexes où rien n'a de contours définis. C'est l'énergie nécessaire pour ordonner toutes nos idées, en les reliant harmoniquement les unes aux autres, dans la merveilleuse architecture de la pensée. Il faut faire effort pour faire du mental un monde de formes organisées et valables, et il est clair que cela en vaut la peine.

L'attention et les sens

L'attention fait des sens une des très nombreuses voies pour accéder à la sagesse, si nous savons faire usage de ces voies et, bien entendu, de l'attention.

Le toucher

Le toucher est la réaction de la sensibilité de notre peau au contact des objets. Il nous permet de sentir le froid, la chaleur, la douceur, la rudesse... Si nous nous contentons de ces simples possibilités physiques, nous ne rechercherons que ce qui nous procure du plaisir, sans prêter attention aux différences subtiles qu'offrent certains objets par rapport à d'autres. L'attention, dans ce cas, nous conduit à reconnaître des détails, des nuances, des degrés, élargissant notre connaissance sensible bien au-delà de l'agréable et du désagréable.

Lorsque le toucher se développe en hauteur et en profondeur, il se transforme en une sensibilité particulière pour percevoir et se comporter avec les gens. Avoir du "tact", dans ce cas, c'est comprendre chacun et s'adresser à chacun de façon qu'il puisse aussi nous comprendre. Lorsque l'attention s'allie à cette habileté dans le comportement, elle devient de la discrétion, une des plus grandes vertus.

L'ouïe

L'ouïe nous amène à percevoir les sons. Mais il y a une grande distance entre entendre et écouter ; écouter, c'est prêter attention à ce qu'on entend. Entendre, tous ceux qui ont l'ouïe développée le font. Mais porter attention aux sons, savoir les distinguer au point de savoir les interpréter comme des formes particulières de langage et d'expression, ne peut être le fruit que d'une attention fine. En réalité, c'est l'attention qui nous permet de faire la différence entre les bruits et les sons, entre le vulgaire coup arythmique et l'équilibre de la musique.

La vue

Voir, c'est percevoir à travers les yeux physiques la forme et la couleur des choses. Certes, mais il y a des manières plus subtiles de voir qui requièrent la présence de l'attention ; alors on peut observer, considérer ce qu'on observe, réfléchir, juger. Savoir voir, ou ce qui revient au même, voir avec attention, est une manière de découvrir, de se livrer à l'investigation, de pénétrer au-delà des formes et des apparences avec les yeux intérieurs ; c'est connaître, comprendre, savoir. Pour voir avec attention, il faut de la lumière, c'est-à-dire de l'intuition, une imagination droite. La consigne pour l'âme qui veut voir est d'avoir atteint l'harmonie intérieure. La lumière n'arrive pas aux tourbillons du vent des passions.

Le goût

Le goût est le sens grâce auquel on perçoit la saveur des choses. Mais ce plaisir ou ce désagrément qui prend d'abord sa source dans la langue, se propage à la psyché et se convertit en attrait ou rejet pour les choses et les gens en général. A ce stade, faire les choses "à notre goût", c'est faire ce qui surgit comme impulsion immédiate des sens en général et des émotions en particulier. Néanmoins, le goût peut s'élargir jusqu'au bon goût, toujours et quand intervient l'attention. C'est alors la faculté intérieure de percevoir et de goûter le beau, en le distinguant du laid et de l'absurde. Il est évident que, grâce au bon goût, la vie a une autre saveur. Et c'est aussi une réussite de l'attention.

L'odorat

L'odorat nous permet de percevoir les odeurs. Il nous est difficile de les qualifier, et au mieux nous nous hasardons à les définir comme agréables ou désagréables, avec un risque important que nos opinions ne coïncident pas avec celles des autres. Mais l'attention affine l'odorat et en fait un sens beaucoup plus subtil, si bien que, dans le langage courant, on a l'habitude de dire "qu'avoir du nez", c'est posséder l'art de découvrir ce qui est apparemment caché, presque comme un pouvoir divinatoire. Un peu plus haut, avoir du nez, c'est faire alliance avec l'air et les parfums ; c'est l'attention à ce qu'emporte et apporte le vent et à l'arôme qu'exhalent tous les êtres. Il y a une distance infinie entre sentir et capter la quintessence des choses.

Elles se tiennent par la main :
l'attention et la diligence

La diligence est attention parce que, sans attention, il n'est pas possible d'arriver à cette forme si particulière d'action qu'est l'action efficace. Il faut être très attentif, l'âme bien ouverte à tout ce qui est positif et élevé, pour balayer l'influence nocive de la négligence avec ses oublis, ses retards, les choses faites à moitié, exigeant des autres ce que nous ne faisons pas nous-mêmes, ignorant la valeur du temps et la persévérance.

La diligence, c'est centrer la conscience — et par conséquent l'attention — sur ce que nous faisons à chaque instant. En de nombreuses occasions, j'ai relaté une vieille anecdote que j'ai lue à propos du prestigieux chef d'orchestre disparu, Arthur Toscanini ; lorsqu'on lui demanda le secret de sa concentration pour conduire tant de musiciens avec un tel succès, il répondit : "C'est que, quand je pèle une orange, je pèle une orange."

Elle insiste ! La persévérance

La persévérance se nourrit de répétitions. Elle est comme un moteur impossible à arrêter et infatigable qui nous permet de revenir sur les mêmes choses, en insistant pour obtenir jour après jour une plus grande qualité en tout.

Voici ce que possède la persévérance : c'est un moteur conscient, non pas le fruit d'une répétition routinière sans rien qui nous meuve ou soit mis en mouvement par notre propre décision, par notre propre volonté. C'est pourquoi elle est infatigable et ne s'arrête jamais : la volonté ne connaît ni la fatigue ni les arrêts caractéristiques de la variabilité de la psyché.

La persévérance est insistante, non par aveuglement mais parce qu'elle emprunte à la Nature une de ses lois fondamentales : la cyclicité, le fait de reconnaître un chemin régulier et de s'efforcer sérieusement de le suivre, en corrigeant chaque fois qu'il le faut le plus petit écart. Insister, c'est savoir trouver le secret d'un escalier dont les marches peuvent paraître toutes égales, mais qui néanmoins ne sont pas à la même hauteur. Insister avec intelligence c'est donc gagner en hauteur.

La persévérance peut bien être comparée au coup de marteau qui frappe sans arrêt la tête du clou jusqu'à l'enfoncer à sa place. Elle a le rythme du marteau qui va et vient, sans perdre de vue son objectif.

La persévérance est intimement liée au temps, car, si elle n'est pas éternelle, elle cherche l'éternité à travers la durée.

Comment aider efficacement ?

Afin de faire en sorte que nos actions sociales aient un contenu authentique, philosophique, et ne soient pas réalisées afin de répondre aux modes, de tranquilliser aisément nos consciences ou d'obtenir un certain prestige et l'approbation de ceux qui nous entourent, il faut :

• savoir que, pour aider, il faut se donner soi-même, se consacrer entièrement à ce qu'on fait.

• savoir qu'on n'aide pas toujours avec des objets matériels, mais que le rapprochement humain, la possibilité de partager des sentiments et des idées est, actuellement, une des aides les plus appréciées dans un monde où une bonne partie des gens se sentent seuls.

• savoir qu'une aide concrète demande des connaissances concrètes et pratiques pour obtenir le bon résultat qu'on souhaite. Autrement dit, qu'il nous est difficile de collaborer avec celui qui vient de perdre son habitation si nous ne savons pas reconstruire une habitation (ou trouver des gens qui la reconstruisent sous notre responsabilité).

• savoir qu'une aide humaine requiert des connaissances concrètes touchant l'être humain. Consoler, réconforter, proposer de nouvelles avancées dans la vie sont des biens que seuls peuvent offrir ceux qui se connaissent eux-mêmes et savent quels sont les besoins de l'âme et ses aliments.

• savoir que nous avons tous quelque chose à donner. La générosité n'est pas réservée à un petit nombre. Chacun possède un bien, une valeur concrète ou intime, une caractéristique humaine qui peut aider ceux à qui elle fait défaut.

• savoir se mettre à la place des autres, ressentir ce qu'ils ressentent, comprendre ce qu'ils pensent, entrer en contact réel et non superficiel. Sortir de la coquille de l'individualisme qui fait de nous le centre et l'axe du monde.

• savoir qu'aider c'est servir avec joie. L'enthousiasme multiplie la valeur de ce que nous offrons, aussi puissant et parfait cela soit-il d'un point de vue technique.

C'est dire que, pour être utile à la société, nous devons avoir la volonté pour agir librement, l'amour pour donner de l'éclat à tout ce que nous faisons, et l'intelligence pour donner ce qui convient et correspond à chaque cas.

Une alliée de l'attention : la prévention

C'est la capacité de voir les choses avant qu'elles n'arrivent. *Pré-venir* c'est savoir, par expérience et attention, ce qui va se passer ; en tout cas, si on ne peut percevoir tous les détails, il s'agit de prendre en compte, dans les grandes lignes, ce qui est probablement susceptible de survenir.

Pré-venir c'est, précisément, anticiper intelligemment les choses, pas avec méfiance ni pessimisme, mais avec le naturel de celui qui sait vivre avec le regard pénétrant que confère la connaissance. Et si la connaissance manque, du fait de la jeunesse ou de l'inexpérience, il faut utiliser le regard que nous donne l'expérience des sages qui nous ont précédés.

Pré-venir, c'est être préparé, prendre en considération toutes les possibilités qui peuvent surgir et être disposé à agir en toutes circonstances, qu'on les considère comme positives ou négatives, sans se précipiter ni être paralysé.

Avantages et désavantages de l'âge

Il est évident que la jeunesse offre des facilités pour acquérir toute espèce de faculté, des facultés physiques aux facultés mentales et spirituelles. Cela, toujours et quand on compte avec une véritable jeunesse, avec la fraîcheur qui essaie, rectifie et grandit sans désespérer, en renouvelant chaque jour l'impulsion de progrès.

Mais la jeunesse n'est pas tout, parce que, dans bien des cas, elle ne représente qu'un nombre réduit d'années physiques, et rien de plus.

Il est également évident que l'accumulation des années enlève certaines facultés, mais jamais aussi nombreuses ni au point où le prétendent les pessimistes. L'âge n'est pas un empêchement à continuer à grandir intérieurement, de même que la jeunesse n'est pas la condition indispensable pour qu'existe l'enthousiasme de l'évolution.

Que jamais le jeune ne dise : "J'ai toute la vie devant moi", car nul ne sait exactement combien doit durer sa vie. Ce qu'il sait, c'est qu'il a la possibilité de cultiver sa vie sans perdre un seul instant.

Que jamais la personne d'âge mûr ne dise : "J'ai déjà fait mon travail" ni ne pense qu'elle peut vivre de ses succès passés. Le travail qu'on arrête entraîne l'inertie, et les résultats obtenus peuvent se transformer en échecs.

Pour offrir à notre monde
quelque chose de meilleur

Il est fondamental d'exercer la maîtrise sur notre propre nature, de perfectionner toujours davantage les valeurs intérieures et de les mettre en pratique. Parce que, sans cette auto-maîtrise, nous ne pourrons offrir au monde aucune action positive ni durable.

Mais il est également fondamental de savoir que, si nous recherchons notre propre développement, c'est pour offrir quelque chose de meilleur à notre monde, en travaillant en son sein et pour lui, pour tous les êtres qui manquent de tendresse, d'instruction et de moyens élémentaires de subsistance.

Les difficultés ? une chance à saisir

Les difficultés sont des épreuves sur le chemin, comme de nouveaux pas à faire chaque fois que nous nous heurtons à un nouvel enseignement de la vie. Sans difficultés, qui sont en même temps des défis, nous resterions statiques au même endroit, sans évoluer d'un pouce, mais au contraire en régressant à mesure que s'épuisent les énergies naturelles qui ne sont pas fortifiées par la pratique.

Savoir écouter

Celui qui sait prêter attention à ses propres sentiments et à ses propres pensées sait écouter ceux que les autres exposent. Il pourra les comprendre plus ou moins bien, il pourra y participer ou pas, mais il sait s'imposer le silence indispensable pour que les autres fassent usage du langage.

Savoir écouter, c'est raisonner au rythme de l'autre, entrer dans le mouvement de son mental et de son cœur. Cela ne veut pas dire – nous insistons – que nous devons inévitablement partager ce que nous écoutons. Cela signifie simplement la maîtrise de soi, le respect et l'aptitude au partage.

Savoir dialoguer

C'est un art musical dans lequel se combinent deux ou plusieurs instruments. C'est savoir laisser de la place à ceux qui parlent et ne pas occuper tout le temps avec le son de sa propre voix. C'est attendre l'instant exact pour introduire un mot, c'est-à-dire une idée et un sentiment, et reprendre sa respiration pour que les autres puissent faire résonner leurs cordes.

Quel art difficile qui ne dépend pas de soi, parce qu'on est deux ou plus à devoir être d'accord pour dialoguer !

Mais nous croyons que c'est un art merveilleux, propre au philosophe qui sait conduire sa sensibilité et sa raison, qui sait parler, qui sait écouter, qui sait apprendre, qui sait transmettre et sait communiquer avec les autres.

Au royaume du savoir parler, le dialogue est l'équivalent de la convivialité par rapport au savoir-vivre.

Terminer tout ce que l'on commence

Si nous laissons beaucoup de choses commencées sans les terminer, il n'est pas rare que grandisse intérieurement un sentiment d'échec. Au-delà de l'apparente satisfaction d'aller d'un endroit à un autre, d'un projet à un autre, subsiste le dépôt sédimentaire de ce que nous n'avons pas fait. Inconsciemment, cela sera assimilé à quelque chose que nous "n'avons pas pu" faire, bien que nous l'exprimions consciemment comme quelque chose que nous "n'avons pas voulu" faire.

Terminer chaque chose que nous entreprenons, même si plus tard nous devons y revenir, pour l'améliorer ou l'amplifier, développe un sentiment d'assurance intérieure. C'est ce qui nous amène à expérimenter le "je peux". Chaque acte bien achevé est une preuve que nous pouvons faire bien.

Au guerrier intérieur
qui combat au cœur de chacun

Vaincre, c'est gagner du terrain à l'intérieur de soi, c'est réduire une faiblesse, un vice, s'efforcer de comprendre une idée, commencer à surmonter le confort et la paresse, tant dans le plan physique que dans le plan mental, chercher ses propres vertus.

Vaincre n'est pas le dépassement total de tous les défauts ni l'acquisition complète de toutes les vertus. Pour vaincre, il faut commencer par obtenir de petites victoires qui donneront de plus en plus de force à la volonté, au point d'en faire le plus puissant des outils.

Vaincre, c'est savoir que nous ne sommes pas parfaits ; c'est la raison même pour laquelle nous sommes des guerriers et sommes en train de livrer bataille. Celui qui est parfait a atteint la paix absolue. Néanmoins, nous sommes perfectibles, autrement dit, il dépend de nous de réussir, pas à pas, sans nous arrêter devant aucun obstacle, ce que nous nous sommes proposé d'atteindre.

Qui n'avance pas... recule

Ne pas stagner, c'est éviter la facilité dans tous les plans. Qu'on ne pense pas que la facilité ne s'exprime que dans le corps et son désir d'éviter les efforts. La psyché et le mental aussi ont leurs désirs de confort qui, malheureusement, se déplacent aux plans spirituels et paralysent les pas qui y conduisent.

La psyché fuit les complications, les conflits, les problèmes à résoudre. Elle fait celle qui "ne voit rien" pour se convaincre qu'il ne se passe rien. Même s'il pleut à verse dehors, la psyché se retire dans le refuge de son ignorance sans se rendre compte que, tôt ou tard, l'eau s'infiltrera à travers ses toits et ses fenêtres fragiles.

Le mental ne veut pas penser. Les choix et les décisions lui font peur. Il se retranche derrière le passage du temps comme solution infaillible, ou en tout cas, derrière les décisions que prennent les autres, qui pourront ou non lui plaire, mais n'affectent pas son immobilisme mental. Lire, réfléchir, apprendre quelque chose de nouveau, étudier ? C'est trop d'effort.

S'activer à de nouvelles conquêtes n'est pas autre chose que répondre à la loi de la vie, qui est de croître et d'avancer.

Et si on comparait ?
MOI... et les autres.

L'envie se nourrit des différences, et surtout, de ce qu'on considère comme bon et que les autres possèdent et nous non. Elle s'alimente de la croyance que tout ce que possèdent les autres est mieux que ce que nous avons. Et cette envie, ajoutée à la jalousie, pousse à minimiser et ridiculiser le compagnon, pour grandir sa propre taille, pour faire que les différences, si elles existent, ne soient pas évidentes.

L'envieux ne grandira pas parce qu'il lui suffit de voir les autres petits.

La superbe ou l'orgueil partent de l'angle opposé : la comparaison favorise toujours celui qui la fait, qui se voit lui-même comme le meilleur et le plus grand. C'est ainsi qu'il s'octroie le droit de corriger et critiquer tout le monde. Jamais il ne trouvera rien à son goût, excepté ce qu'il fait lui-même. Il ne grandira pas ; il n'en a pas besoin parce qu'il s'est déjà placé bien au-dessus de sa valeur réelle.

Acceptons que nous avons tous des valeurs et des défauts, que les comparaisons ne vont pas nous aider tant que nous ne développons pas la saine vertu de prendre exemple sur tout élément positif que nous voyons dans notre entourage. En attendant, mieux vaut expérimenter la fraternité qu'appliquer la comparaison.

Si je me compare ? Bien sûr !
à... moi-même

La philosophie nous apprend qu'il y a une comparaison hautement positive et presque jamais utilisée : celle que nous devons employer avec nous-mêmes.

Comment ?

Commencer par tendre un fil depuis le passé jusqu'au moment présent et comparer différents moments de notre temps, en quoi nous avons changé et dans quel sens. Ce qui a été gagné et ce qui a été perdu. Le bon qui a été oublié et le mal qui a prévalu ; ou au contraire, le bon qui s'est étendu et le mal qui s'est réduit.

Ensuite, tendre un autre fil, cette fois depuis le présent vers le futur, en comparant ce que nous avons obtenu à ce dont nous avons rêvé ; ce que nous pouvons et devons faire pour réussir ce dont nous avons rêvé et ce dont nous continuons à rêver sous la protection de notre idéal.

Sus au stress !

Nous nous voyons tous touchés par la hâte, par le temps qui coule comme du sable entre les doigts, par les mille choses qu'il faut faire au cours de la journée, sans que nous sachions comment les caser ni à quel moment. La hâte, sans un état d'âme tranquille qui l'équilibre, conduit à une telle angoisse qu'elle détruit finalement la personnalité, nous rendant inutilisables pour tout travail, aussi simple soit-il. Celui qui veut faire beaucoup, mais ne sait pas le faire avec une âme reposée, finit par ne rien faire, ou le faire mal, à moitié, laissant insatisfaits les autres et lui-même.

Il faut donc essayer la tranquillité intérieure. Cependant, pas dans les moments d'urgence mais précisément, au contraire, quand nous connaissons une paix relative. Nous devons bien intégrer ce que nous expérimentons en ces instants, le reconnaître au point de pouvoir le répéter à volonté, au début pas en pleine urgence, jusqu'à ce qu'à la fin, quand les situations sont pressantes, nous sachions recourir à cette tranquillité que nous aurons créée grâce à de nombreux essais et beaucoup de patience.

Mais rappelons-nous : la qualité de la tranquillité de l'âme se conquiert dans les moments de sérénité, quand nous pouvons apprécier le prix de cet état de conscience. Ensuite, il pourra être appliqué quand il semble que nous soyons débordés par la rapidité des événements.

Il fait prendre des vessies pour des lanternes : l'orgueil

C'est le fils, en premier lieu, de l'ignorance. Et, en second lieu, celui de la paresse facile.

L'ignorance essaie d'occulter son manque de connaissances, en cherchant l'excellence dans des facteurs inconsistants pour l'âme. Celui qui ne distingue pas le réel de l'irréel cherche à mettre en évidence ses possessions matérielles et sociales, en oubliant le peu qu'elles durent et le peu qu'elles valent devant la fragile opinion publique. Ainsi, un nom devient occasion d'orgueil ; orgueil que l'argent ; orgueil qu'un poste de travail éminent ; orgueil qu'une jolie maison neuve ; orgueil qu'avoir de bons contacts et de bonnes relations ; orgueil qu'un couple bien assorti et bien considéré ; orgueil que porter un vêtement à la mode ; orgueil qu'un mot d'encouragement généreux, plutôt qu'aspiration à se perfectionner ; orgueil qu'un travail bien fait, en oubliant que tous les travaux doivent être bien faits.

Enfin, la liste serait interminable, et je crois ce qui a été dit largement suffisant pour comprendre ce que signifient ces supports extérieurs à l'être propre, à la véritable excellence.

La paresse facile est la conséquence de tout ce qui précède. Pourquoi changer, pourquoi modifier la personnalité, pourquoi faire des efforts, si on compte suffisamment d'éléments pour briller en public ? Pourquoi allumer une lumière intérieure si tant de feux follets fascinent apparemment de leur éclat.

Rappelons-nous que la générosité, l'action constante et serviable, le sain esprit d'investigation, contribuent à dissiper ces ténèbres de l'orgueil.

Les mécontents, vous connaissez ?

Ils ne trouvent rien à leur goût et critiquent aigrement tout ce que font les autres. Le mécontent ne se contente pas de tout désapprouver, il paraît savoir comment tout devrait se faire. Quel dommage qu'il se borne à parler et à engendrer du mécontentement chez les autres !

Gardons-nous de tomber dans cette maladie de l'âme. Comme personne n'est libre d'erreur, chacun doit se préoccuper de faire les choses de la meilleure manière possible et ne pas gaspiller les énergies en critiques.

Soumission ou obéissance ?

L'obéissance est en relation directe avec l'éducation. Le maître, celui qui possède le savoir dans une discipline quelconque, peut délivrer son enseignement en faisant croître son disciple. Et celui qui veut se former dans une quelconque discipline doit apprendre. La relation d'éducation et d'apprentissage qui unit le maître et le disciple est une relation d'obéissance. Qui veut apprendre, qui veut avoir la même connaissance que son maître, obéit. Le maître ne commande pas : il instruit et il forme.

L'aspirant artiste écoute et obéit au maître qui lui transmet les lois de son art. L'aspirant scientifique prête attention à ce que lui dicte le savant concernant les lois de la nature. De la même façon, celui qui aspire à la sagesse écoute le philosophe, obéit à celui qui met à sa portée les connaissances qui ont ouvert les portes de l'action juste à tant de sages dans la longue histoire de l'humanité. En bref : s'il n'y a pas impulsion de l'âme, il ne peut y avoir de véritable obéissance.

Ne confondons pas avec la vulgaire soumission de celui qui, incapable de décider par lui-même, préfère que d'autres le fassent pour lui. Il peut sembler une personne obéissante mais en réalité il est faible. Son obéissance n'est pas fertile parce qu'elle ne le fait pas évoluer.

Ne confondons pas non plus le vulgaire cri d'exigence avec la voix du maître. Nombreux sont les sans-gêne à la recherche de personnes impuissantes qui les flattent constamment et répondent à tous leurs caprices. Ce commandement apparent n'est pas non plus fertile, parce qu'il ne produit que des ombres de celui qui commande, et non des êtres capables d'exercer jour après jour leur propre liberté.

Pour qu'il y ait obéissance, il faut quelqu'un qui sache parler et quelqu'un qui sache écouter, quelqu'un qui sache enseigner et quelqu'un qui sache apprendre. Il faut que naisse ce lien indélébile qui unit des chaînons tout au long du temps, qui laisse couler les connaissances à travers les générations.

Quelle est notre place dans la nature ?

Celle de la responsabilité maximale : ce que ne peut faire un minéral, ce que ne peut faire un arbre, ce que ne peut faire un animal, nous pouvons le faire. Voilà la place de l'homme : pouvoir penser, se mettre en accord avec la nature et travailler avec elle sans violer ses lois. L'homme fait effectivement partie de la Nature, mais il peut aussi la penser, il peut la comprendre, il peut y participer intelligemment. Je lui octroierai, du point de vue philosophique, un rôle d'appui et de responsabilité. Jamais de destructeur ni de profiteur.

Le monde est-il le fruit du hasard ?

Chaque jour, le soleil paraît à l'horizon et se couche le soir à l'ouest. Nous avons l'habitude des saisons, du parcours des saisons ; nous avons l'habitude des tempêtes, de leurs conséquences, du volcan qui se réveille brusquement, de la mer qui grossit et dévaste les côtes. Pensons-nous que cela arrive simplement comme ça ?

Quelque chose qui, devant nos yeux, de manière claire et précise, nous démontre qu'il possède des cycles, que ces cycles se répètent sans jamais être exactement semblables, nous démontre qu'il se dirige vers un but. Le fait que nous ne comprenions pas exactement ce but, ne veut pas dire que ce doive être fortuit.

Si tout ce qui se déroule autour de moi révèle une harmonie et une direction permanentes, qu'est-ce qui m'autorise à penser au hasard ? Ne vaudrait-il pas mieux que je cherche le pourquoi de toutes ces choses ?

Ce n'est pas une question de croyance, c'est une question de logique. Ce que nous voyons a un sens, tout ce qui a un sens a une finalité.

L'homme et ses corps

Il est important d'expliquer le pourquoi de ce pluriel, car nous sommes habitués à penser à "un corps", le seul qui nous accompagne, que nous voyions, que nous touchions et qui nous offre un ensemble de sensations vitales que nous reconnaissons comme nôtres.

Mais le fait de percevoir un seul corps ne veut pas dire qu'il n'existe pas d'autres plans, d'autres véhicules d'expression ou d'existence.

L'homme n'a pas à sa disposition un seul corps ou plan d'existence.

Lorsque que nous affirmons qu'il n'existe qu'un seul corps, nous commettons probablement une erreur qui est à envisager sous deux angles : ou bien les autres corps, véhicules, expressions ou plans sont peu développés et nous ne les percevons pas ; ou bien nous accordons très peu d'importance à ces autres modes d'expression, différents de ceux du corps physique et, du fait qu'ils ne présentent aucun intérêt pour nous, ils n'entrent pas dans notre sphère consciente.

Néanmoins, une analyse rapide permet de constater qu'en plus du corps concret, il y a bien d'autres expressions humaines qui nous accompagnent et qui ne sont pas strictement physiques.

Lorsque nous sentons le froid et le chaud, il est très difficile de situer l'endroit où nous expérimentons la chaleur ou le froid. Lorsque nous avons peur, lorsque nous sommes angoissés, nous ne pouvons localiser l'angoisse dans aucune partie spécifique du corps. Lorsque nous pensons, raisonnons, travaillons sur une idée ou sur une autre, où localiser ces idées ? lorsque le doute nous habite à propos d'une chose ou d'une autre, où localiser le doute ?

Ainsi, tous les jours nous nous déplaçons à l'intérieur de plans différents qui ne sont pas strictement physiques. Ces plans, ces autres modes d'expression de l'être humain, nous allons les appeler "corps" pour expliquer ces différentes facettes de l'être humain.

Il existe un corps physique et concret et un seul ; les autres ne sont ni aussi physiques ni aussi concrets. Leur expression est beaucoup plus subtile et échappe généralement aux définitions habituelles. Bien que nous nous référions à des corps différents, tous n'ont pas la même consistance, en fonction d'une échelle qui va du plus concret et pesant au plus subtil.

Rien de ce que nous allons exposer n'est nouveau. Parler de l'homme et de ses "corps", c'est revenir aux civilisations antiques de type initiatique, avec leurs écoles, leurs sages, leurs penseurs, leurs philosophes, leurs artistes, leurs hommes soucieux non seulement de la réalité concrète, mais aussi de celle de l'Être intérieur, de l'Âme, de l'existence d'états différents de celui du corps physique.

Ces enseignements anciens conçoivent une "constitution septénaire", selon laquelle l'être humain possède sept "corps" ou véhicules d'expression. En général, tout dans la Nature semble répondre à des cycles septénaires, qu'on retrouve dans les travaux des artistes, des penseurs et des philosophes.

Les sept "corps" de l'homme

Voyons quels sont ces sept corps, du plus concret au plus subtil :

• **Le corps physique**. C'est celui que nous connaissons le mieux, et n'importe quel traité d'anatomie en présente une bonne description.

• **Le corps vital ou énergétique**. Les anciens, lorsqu'ils voulaient expliquer la différence entre le corps physique et le corps vital, prenaient comme exemple la différence entre un corps mort et un corps vivant. Si on dort, à première vue on ne peut percevoir presque aucune différence entre les deux. Mais en observant mieux, apparaissent des différences de température, de couleur, de possibilité de mouvement.

Le corps vital est un courant d'énergie qui nous parcourt intégralement et nous permet de nous déplacer, de parler, de nous exprimer et de nous manifester avec les caractéristiques grâce auxquelles nous nous reconnaissons en tant qu'êtres vivants. C'est lui qui fait que nous avons parfois envie de courir, de sauter, de marcher, de bondir. C'est lui qui anime les enfants au point qu'ils ne peuvent rester tranquilles…

• **Le corps émotionnel**. C'est en lui qu'ont leur racine nos passions, nos émotions, nos sentiments, tout ce que, d'une manière générale, nous reconnaissons comme la vie psychique. C'est dans ce plan que nous sommes capables d'osciller entre la colère la plus terrible et le sentiment mystique le plus exalté. Tout ce qui nous fait tendre vers quelque chose, chercher, aimer ou rejeter quelque chose, vit dans ce plan. Et bien que nous croyions gérer et maîtriser nos émotions, en réalité ce sont elles qui nous dominent.

• **Le corps mental concret**. Il se distingue par le raisonnement, le pouvoir de manier des idées. Mais c'est un mental très concret, une intelligence qui raisonne avec les idées dont nous faisons usage quotidiennement. Il est marqué du sceau du "moi". "Ce que je veux, ce qui me profite" est ce qui le préoccupe. C'est un mental intéressé, égoïste, pas dans un sens négatif mais dans le sens où il est conditionné pour répondre aux demandes de ce "moi".

• **Le corps mental pur**. En tant que mental, il est très semblable au précédent, bien que la différence réside dans le fait qu'il ne pense pas seulement aux intérêts du "moi" quotidien. Il possède une plus grande amplitude, il est plus pur. Outre sa propre existence, il conçoit aussi celle d'autres êtres ; il voit d'autres besoins, d'autres idées et sentiments.

Ce mental conçoit ce que nous appelons humanité, cet ensemble d'êtres avec qui nous vivons sur Terre. Ce mental pur conçoit l'altruisme, le désintéressement ; il est capable d'actes généreux, de pensées nobles et universelles. Les idées de vie, de pensée, se situent dans le mental pur et non dans le mental concret.

• **Le corps intuitionnel**. L'intuition est un type de connaissance particulier qui dépasse la connaissance mentale. Elle n'a pas besoin de trop raisonner, elle capte. Elle se manifeste comme un impact à l'intérieur de nous-mêmes. Elle n'est pas facile à percevoir dans les petites choses mais bien dans les grandes idées, les grandes vérités, les grands concepts qui, parce qu'ils sont aussi subtils et ineffables, n'entrent ni dans les mots, ni dans les définitions ni dans les raisonnements.

Prenons des exemples. Nous avons tous des intuitions, spécialement en ce qui concerne les grandes vérités de base, celles qui nous constituent en tant qu'êtres humains. Tous, un jour, nous avons senti cet impact, ce choc, comme une compréhension rapide et décisive. Et emportés par l'enthousiasme, nous avons essayé de communiquer cette révélation mais, ce faisant, nous avons constaté que les mots étaient pauvres et la difficulté d'expression extrême, incapable de refléter même grossièrement ce qui avait été pour nous une réalité intérieure.

Pourquoi ? Parce que l'idée qui avait pénétré directement à travers l'intuition, nous avons voulu ensuite l'exprimer à travers un autre véhicule, celui du mental. Mais comme le mental ne l'avait pas reçue, il ne connaissait quasiment pas ce qu'il voulait expliquer et se comportait de façon maladroite et pauvre.

• **Le corps de volonté**. C'est un corps si subtil et si particulier que de nombreuses civilisations l'ont mis en relation avec l'Esprit, avec l'étincelle primordiale de l'Homme. Ce n'est pas la volonté capricieuse du "je désire", "je ne veux faire que ce qui me plaît". Il s'agit d'une volonté différente : c'est la volonté d'exister, la Grande Volonté à laquelle l'univers doit son origine, qui soutient tous les mondes et qui est aussi celle de l'être humain, comme force essentielle qui descend à travers tous les autres corps, leur conférant vie et expression.

Sept corps reliés et en interaction constante

Ne pensons pas que ces sept véhicules soient isolés les uns des autres. Il existe entre eux une relation interne et étroite qui leur permet de s'interpénétrer et de se faire du bien mutuellement. On connaît aujourd'hui les facteurs psycho-somatiques qui combinent en même temps l'émotionnel et le physique. Il arrive qu'un dérèglement émotionnel produise une maladie physique ; ou qu'une indisposition physique déséquilibre la psyché. Il arrive aussi qu'une indisposition physique ou un manque de vitalité interfèrent avec le mental.

Ne pensons pas non plus qu'il y ait des corps plus importants que d'autres. Pour l'évolution, tous les corps sont nécessaires. Nous aurions beau ressentir des sentiments merveilleux, sans un corps pour les exprimer, une voix pour les dire, une plume pour les écrire, un geste pour les faire comprendre, comment ces sentiments seraient-ils connus ?

Bien que tous les véhicules soient nécessaires, selon les enseignements antiques tous les corps ne sont pas actifs dans le présent. Certains sont développés, d'autres sont latents. Ceux qui sont développés sont les quatre corps inférieurs : le corps physique, sa vitalité, les émotions et le mental concret. Ils correspondent au stade actuel d'évolution de l'humanité. Alors que demeurent latents, dans l'attente d'un développement progressif, les trois autres principes : le mental pur, l'intuition, la volonté.

Les anciens appelaient respectivement les quatre corps actifs et les trois autres qui constituent un avenir, le **quaternaire inférieur** et **la triade supérieure** : une personnalité périssable et une individualité qui demeure et revient.

Le quaternaire reçoit aussi habituellement le nom de "personnalité", et la triade celui "d'individualité". C'est-à-dire que le quaternaire est la "personne", mot de racine grecque et latine qui veut dire le "masque" qu'utilisaient les acteurs au théâtre. Et, dans les êtres humains, cet ensemble de quatre véhicules est le masque dont se couvre l'Âme pour pouvoir apparaître sur le théâtre de la vie.

"L'individualité" indique ce qui est indivis, ce qui ne peut être divisé, ce qui constitue une grande unité. La personnalité est l'aspect périssable de l'être humain, ce qui disparaît avec la mort. L'individualité est immuable et demeure éternellement.

L'individualité qui demeure après la mort serait-elle alors ce qui revient ? Beaucoup de sages et de philosophes ont affirmé que oui, que ces trois principes supérieurs qui constituent l'homme véritable, de même qu'ils ont pris un jour un masque et se sont présentés dans la vie pour jouer leur rôle, apprendre et expérimenter, après s'être reposés et avoir repris des forces, reprennent un autre masque, une autre apparence, une autre personnalité avec laquelle ils reviennent une nouvelle fois sur terre.

Une nouvelle fois l'école de la vie, avec ses enseignements, ses souffrances, ses joies, ses difficultés et ses succès, use le masque, la personnalité se dissipe et la triade, qui demeure, se repose et revient… Il en va ainsi durant de longues périodes jusqu'à ce que le "grand Moi" se dégage des entraves qui enserrent les véhicules inférieurs et, qu'au contraire, sa conscience, pareille à une lumière puissante, se centre dans la volonté, dans le principe le plus élevé.

Les sept corps ont à voir avec l'évolution

Se référer aux corps de l'homme pose en outre la question de leur relation avec l'évolution. Le développement de chacun de ces plans indiquerait-il des formes progressives d'évolution ? La réponse traditionnelle est qu'effectivement, ils sont en étroite relation avec la croissance évolutive.

On explique que le corps physique, matériel et concret, est celui qui est le plus semblable à une pierre, bien qu'adapté de telle façon qu'il nous sert de moyen d'expression.

De la même manière, le corps vital est le plus semblable au règne végétal, car il possède l'énergie, la vitalité. Il permet le développement et l'expansion.

Le corps émotionnel est ce que nous avons en commun avec le règne animal, qui, en diverses occasions, démontre son aptitude aux sentiments. Des hommes et des animaux, à travers le monde des émotions, peuvent s'entendre. Il existe aussi en nous le monde animal des fauves, des bêtes, du sauvage, la force qui fait irruption, qui déforme, qui nous blesse ainsi que d'autres.

Si un homme n'avait que le corps physique, il serait comme une pierre ; s'il n'avait que le corps physique et le corps vital, il serait comme un arbre. S'il avait en outre un corps émotionnel, dans le bon et le mauvais sens, dans sa noblesse et dans sa férocité, il serait comme un animal. Pour être "Homme" et exprimer son stade d'évolution, il doit avoir un mental rationnel qui l'aide à comprendre et à se comprendre.

Mais l'échelle évolutive ne s'arrête pas là. Il y a d'autres énergies, d'autres possibilités et potentialités à développer ; une intuition capable de capter rapidement et intégralement, jusqu'à éveiller ainsi la Grande Force de la Volonté qui existe dans tous les êtres.

La conscience joue ici un rôle fondamental, puisqu'elle nous aide à éveiller chacun de nos véhicules d'expression, fait de nous véritablement des humains quand elle nous permet de nous situer à la limite de la personne qui meurt et de l'âme qui demeure. Lorsque l'Homme prend conscience, non seulement de ses principes inférieurs, mais de cette possibilité de persister, de sa vertu d'immortalité, alors oui, on peut enfin parler d'"HOMME".

Prendre soin de tous ses corps

Par conséquent, il est important d'apporter à tous les autres corps l'attention et le soin que nous accordons au corps physique, pour obtenir une santé et un développement équivalent en tous. Dès l'enfance, il y a une préoccupation patente pour la conservation du corps physique. Mais ce n'est pas suffisant.

Pour développer un corps vital sain et propre, il faut le contact avec la Nature. Alors que nous vivons submergés dans les mégapoles, le contact avec la Nature est devenu anecdotique, et c'est pourquoi nous connaissons cette sensation permanente de fatigue.

Comment développer et garder sain le corps émotionnel ? En choisissant nos sentiments. Il s'agit d'en prendre soin, de les diriger, de protéger les plus nobles, les meilleurs et les plus élevés, de les renforcer. Pourquoi les sentiments durent-ils si peu ? Parce qu'on ne les entretient pas, qu'on ne les alimente pas. Et, dans ces conditions, un sentiment meurt.

Et comment garder un mental sain ? En choisissant les idées, en choisissant les conversations, les lectures, les activités, les choses qui nous préoccupent, celles que nous voulons connaître. Il n'y a rien de plus positif que d'encourager des idéaux, parce qu'ils fournissent de bons éléments auxquels penser, auxquels rêver et pour lesquels travailler.

Il est ainsi possible d'arriver, peu à peu, à constituer un "corps spirituel". Aujourd'hui, il manque totalement d'aliments. Notre civilisation protège le corps physique. Les droits humains ont généralement été faits pour lui. De la dignité intérieure, personne ne se souvient. De l'éveil spirituel, de générer de grands penseurs, des mystiques, des sages, des artistes, des scientifiques, presque personne ne se préoccupe aujourd'hui.

Conquérir une pleine humanité

Si nous ne nourrissons pas, si nous ne prenons pas soin et ne développons pas tous les corps dans l'homme, jamais nous ne conquerrons ce dont parle le vieil aphorisme : "Connais-toi toi-même", véritable défi pour l'être humain.

Se connaître soi-même, c'est récupérer un grand compagnon que nous avons presque perdu depuis notre naissance : nous-mêmes que nous ne connaissons pas non plus et avec qui nous n'arrivons pas non plus à vivre. Et si nous nous connaissions intérieurement, nous aboutirions à un autre prodige : connaître les autres, les comprendre et nous sentir unis à eux. C'est un lien d'union qui nous fait grandement défaut à l'époque actuelle.

Et nous pourrons ainsi nous poser d'autres grandes questions. Sommes-nous arrivés à nous connaître nous-mêmes ? Sommes-nous arrivés à concevoir l'Humanité comme un ensemble dont nous faisons tous partie ? Si, à partir de l'expression de nombreux corps, surgit la notion d'un seul Homme, nous verrons que beaucoup d'hommes font une seule humanité. Et beaucoup de formes de vie un seul univers. Devant nous se dresse une longue mais intéressante échelle qui nous conduira à la grande synthèse dont tant d'êtres ont rêvé et que tant de civilisations ont essayé de concrétiser d'une manière ou d'une autre.

La souffrance
et ses causes

Pourquoi parler de la souffrance quand le mot lui-même nous fait souffrir ? Parce que cet état de l'âme est le compagnon habituel et malheureux qui assombrit bien des heures de notre vie. Pour qu'au contraire, il puisse se transformer en une conquête positive sur nous-mêmes, nous nous baserons sur les enseignements des philosophies anciennes, même si nous les traitons à partir de notre situation actuelle, qui n'est pas non plus très différente de celle des hommes d'autres époques.

Ces enseignements signalent que le sentier qui conduit à la libération humaine passe par la compréhension de quatre vérités : l'existence de la souffrance, la cause de la souffrance, la cessation de la souffrance et le chemin qui mène à la cessation de la souffrance.

La souffrance est toujours une perte

Dès notre entrée dans la vie, et également lorsque nous sommes sur le point de mettre fin à notre présence physique dans le monde, la souffrance se manifeste sous de multiples formes.

Pour le corps, ce peut être la perte de la santé, et ce déséquilibre physique se traduit par divers types de souffrance qui accaparent l'attention et la conscience en général.

Pour le psychisme, la souffrance trouve son fondement dans la perte d'un sentiment (tant celui que nous éprouvons que, par dessus tout, celui que nous recevons d'autres personnes) ; bref, qu'on cesse de nous aimer, et nous-mêmes cessons également d'aimer.

Ce peut être la perte de confiance en quelque chose ou en quelqu'un.

Ou la perte d'espérances placées dans des projets qui n'arrivent pas à se réaliser.

Ou la perte de confiance en soi, qui s'exprime sous la forme de la peur d'affronter des situations difficiles, voire simples. Ou la souffrance que provoque la perte de biens appréciés ou de personnes chères.

Et, au total, toutes les émotions qui reflètent la perte de quelque chose qu'on croyait posséder, ou la perte de quelque chose qu'on espérait posséder.

Pour le mental, la souffrance vient de l'incompréhension. Lorsque le mental se ferme, se bloque et ne comprend pas le sens des événements, il souffre.

Lorsque le mental ne s'est pas développé en tant qu'intelligence et ne possède pas les moyens de comprendre les raisons de la vie, il souffre.

C'est la même chose qu'il s'agisse d'un mental peu élaboré ou d'un mental cultivé qui se bloque lorsqu'il doit s'efforcer d'arriver au fond des choses : le résultat est toujours de la souffrance.

Elle est également provoquée par le fait de constater que nous nous sommes laissés mener par des idées fausses, ou que nous avons agi en fonction de critères erronés.

Ou de découvrir que nous avions une fausse image de nous-mêmes, et que nous n'étions pas en réalité comme nous rêvions d'être.

La cessation de la souffrance

Il est probable que la souffrance ne cesse jamais tout à fait, parce que nous sommes sur un chemin d'évolution progressive, et parce que, même si nous avançons un peu, la souffrance disparaît également peu à peu mais pas absolument. Sa disparition se situe à un niveau de libération spirituelle dont nous sommes encore très loin pour le moment.

Par contre, ce que nous pouvons et devons faire est de commencer par réduire les causes qui produisent de la souffrance.

Nous avons besoin pour cela de voir les choses de manière sereine, intelligente et objective. Nous voir nous-mêmes de loin, pour apprécier les réalités qui, sinon, nous absorbent si bien qu'elles nous aveuglent, pour leur donner un nom et une définition.

Si on ne voit pas les causes comme premier pas, il est impossible de chercher la cessation de la souffrance.

Comme second pas, il faut chercher des solutions pour résoudre les raisons qui nous ont conduits à la souffrance. Tout a une solution plus ou moins bonne. Mais s'il n'y a pas la volonté de chercher, et moins encore d'appliquer la ou les solutions, la souffrance persistera. Et non seulement elle persistera, mais elle nous conduira à rendre responsable de ce que nous n'osons pas affronter des facteurs extérieurs.

La souffrance ne s'en va pas d'elle-même, il faut l'éloigner

La souffrance ne s'oublie pas : elle se transforme en une expérience objective qui nous enrichit.

La souffrance assumée et mise sur une voie de résolution est l'assurance de ne pas retomber dans les mêmes causes qui lui ont donné naissance.

Les voies de cessation de la souffrance

La "Grande Voie ou Noble Octuple Sentier" de la philosophie bouddhiste comporte des mesures que nous pouvons bien utiliser, car elles sont toutes à notre portée, sans qu'il soit besoin de professer une religion mais simplement de penser.

Les opinions justes doivent être notre travail quotidien pour sortir de l'ignorance et parvenir peu à peu à la sagesse. C'est le conseil que donnait le sage Platon lui-même.

Nos opinions seront toujours d'autant plus justes que nous nous éloignerons de la subjectivité, de l'orgueil, de nos croyances considérées comme supérieures à d'autres, du désir d'avoir toujours raison. Au contraire, nous devons nous appuyer sur les enseignements des sages, sur leurs conseils pleins d'expérience et sur la vision claire qu'ils nous offrent.

Les intentions justes partent d'un idéal de vie clair, de principes qui peuvent devenir des finalités. Si nous avons un idéal comme source d'inspiration, nous avons la possibilité de canaliser nos intentions de façon juste. En deux mots : remplacer l'égoïsme par la générosité.

Les actions justes seront la conséquence logique d'opinions ou de conceptions correctes, et d'intentions généreuses. À quoi il faut ajouter, sans appel, la volonté d'agir.

Les paroles justes nous obligent à penser avant d'ouvrir la bouche. Au lieu de dire ce que suscitent d'abord les émotions (et non les idées, précisément), nous devons calculer l'effet que peuvent produire nos paroles. Il faut que ceci soit bien clair : voulons-nous communiquer avec les gens ou voulons-nous simplement discuter et remplir le silence de mots creux ?

Les moyens d'existence justes impliquent une morale de conduite. Nous devons tous travailler pour vivre ; quoi qu'on dise contre, c'est une merveilleuse loi de l'existence qui nous maintient actifs et nous développe intérieurement et extérieurement. Mais tout travail n'est pas à la hauteur de la dignité philosophique ; nous ne parlons pas des travaux modestes mais de ceux qui attentent à la dignité humaine sous les mille visages de la corruption.

Sont justes également les moyens d'existence qui sont précisément cela : des moyens, et pas des finalités qui absorbent toute l'existence.

L'effort juste consiste à utiliser nos énergies sans les dilapider mais sans non plus l'avarice de celui qui ne veut pas se sacrifier, ou se sacrifier le moins possible.

L'effort est juste lorsqu'il est dirigé vers les objectifs choisis comme les meilleurs et lorsqu'il ne se réduit pas à l'effort minimal, mais constitue l'effort maximal que nous pouvons offrir. Celui qui s'efforce de donner et de faire au maximum étend les limites de sa capacité. Plus on s'efforce, plus on peut.

L'attention juste est un foyer de lumière concentré sur nos expériences, ce qui met de l'ordre et de la clarté dans la conscience. Contentons-nous de dire, pour résumer, que l'attention est le pouvoir de la conscience.

La concentration juste consiste à être la majeure partie de la journée (et de la vie par conséquent), dans notre axe intérieur, dans notre centre, en éliminant progressivement les oscillations de la conscience, dues aux oscillations émotionnelles et mentales.

C'est un effort pour diriger les expressions de l'âme et les actions du corps, à partir de notre véritable centre.

Que faire tandis que nous essayons de surmonter la souffrance ?

Nous savons qu'aussi bons que soient ces conseils – qui ont formé tant d'hommes dans l'Histoire – ils ne peuvent être appliqués immédiatement, et que les résultats ne s'obtiennent pas non plus immédiatement.

Il y a, par conséquent, une période durant laquelle, malgré l'effort pour arrêter ses causes et la faire cesser, la souffrance continue.

Ne pas être paralysé par cela. Ne pas attendre que la souffrance disparaisse totalement pour continuer ses actions, ni en entreprendre d'autres nouvelles et meilleures. Il faut savoir cheminer en tenant la douleur par la main, même s'il ne faut pas y faire trop attention. L'attention doit se diriger vers les moyens qui nous permettront de l'abandonner totalement.

Ne pas tomber dans l'impatience. Si la souffrance a mis longtemps à s'installer dans l'âme et à se manifester, elle a besoin d'un autre temps – pas aussi long – pour céder la place à une purification et une libération. Développer une patience active, une patience qui ne laisse pas de travailler pour ses devoirs objectifs.

Ne pas tomber dans des émotions ou des idées de dévalorisation. Plutôt que se dévaloriser, il faut essayer de sortir de la fosse obscure de la souffrance et y mettre toute sa volonté. C'est ainsi que grandira l'auto-estime. Celui qui se rend et s'abandonne à la souffrance ne pourra se sentir bien avec lui-même.

Ne pas être irrité. Ne pas accuser les autres ni laisser retomber sur eux l'état négatif de la souffrance. Bien au contraire, essayer de montrer le bonheur du combat entrepris pour s'en sortir.

Et, par dessus tout, toujours tenir compte des nombreux facteurs qui nous donnent satisfaction, qui nous apportent joie et enthousiasme, des nombreux avantages que la vie nous a octroyés, sans être ingrats envers le destin pour les dons reçus. Il n'existe personne qui n'ait rien, à moins d'avoir totalement fermé ses sens intérieurs à toute réalité.

Mais ce n'est pas le cas : **l'important est d'aimer la vie et ses opportunités**. Et si parfois elles font mal, remplaçons les ombres par la luminosité. C'est le sens de l'évolution.

Chercher le centre

L'histoire évolue à une vitesse vertigineuse, si bien qu'il est difficile de savoir dans quelle direction aller quand les valeurs changent à une telle vitesse. De fait, quand tout tremble alentour, quand s'ouvrent devant soi des voies si nombreuses que le choix est source d'angoisse, du fait de l'incertitude, la seule chose à faire est de chercher le centre.

En avant, archer du Centre !
Ordonne tes flèches, c'est-à-dire tes actions.
Imprime en elles le rythme de la persévérance
et ne cesse jamais de pratiquer.
Tends ton arc, c'est-à-dire tes pensées et tes sentiments.
Pas avec la tension démente qui n'aboutit qu'à rompre la corde,
mais avec la tension juste de la conscience attentive.
Plante ton regard intérieur dans le Centre.
Propulse tes pas vers lui.
Vis le bonheur d'atteindre ce dont tu as rêvé et ce que tu as planifié,
parce qu'alors tu donneras le bonheur aux autres.

Qu'est-ce que le centre ?

"Centre" dérive d'un mot latin qui, à son tour, provient d'un autre, grec, qui se réfère à "l'aiguille" ou "pointe" avec laquelle l'extrémité du compas se plante pour dessiner une circonférence.

De cette façon se clarifie pour nous, d'une part, l'idée du centre d'une circonférence, d'un cercle ou d'une sphère ; et d'autre part, celle de l'aiguille qui se plante avec fermeté en ce point de référence. Le centre est donc l'origine de tout ce qui s'ouvre à partir de lui, et il est le guide pour retourner aux sources. Comme le soleil, il indique le début et la fin du jour, de la lumière.

Mais peut-être convient-il que nous nous arrêtions sur l'aspect plus pratique de la question : sur la pointe de l'aiguile qui se plante où il convient. Et une fois plantée dans le centre, elle nous permet de réaliser d'autres mouvements qui auront toujours l'harmonie et l'équilibre qui naissent de savoir d'où nous venons et où nous allons.

Une bonne partie de nos vies est gaspillée en mouvements

indéfinis, en tâtonnements aveugles qui tentent de trouver quelque chose, sans bien savoir quoi. Nous faisons des pas, certes, mais des pas isolés qui ne suivent pas une direction claire. Il ne faut pas s'étonner alors que ce caractère indéfini s'accompagne de déceptions, d'apathie, de la sensation de perte de temps et d'intérêt pour tout.

Le centre a toujours besoin de précision. Le point central d'un cercle est UN point. Pas deux ni trois. Et il doit se trouver dans un endroit exact.

Pouvons-nous appliquer le même critère à nos vies ?

Le centre et la cible
Philo et tir à l'arc : même combat

Le Maître Confucius expliquait, il y a plus de vingt-cinq siècles, que l'archer ressemble au sage ; il doit connaître la cible qu'il vise. Et s'il s'écarte de la cible, il consacre son temps à réfléchir à la cause qui l'a conduit à commettre cette erreur.

En tant que petits philosophes, en tant qu'amoureux de la sagesse, nous devrions agir comme l'archer.

En premier lieu, voir clairement la cible que nous visons. Cela veut dire, au moins, savoir où nous nous dirigeons, même si qui nous sommes et d'où nous venons n'est pas encore clair du tout ; ces réflexions viendront par la suite.

Une fois la cible visualisée, y planter notre flèche, notre pointe, avec toute l'attention possible.

Si notre flèche dévie et n'atteint pas la cible, il est naturel que le philosophe s'arrête pour chercher la cause de son erreur.

Nous péchons du fait d'une double ignorance : nous ne voyons pas la cible vers laquelle nous dirigeons nos pas, et nous ne nous arrêtons pas pour réfléchir sur notre défaut de visée. L'un est le produit de l'autre. Comment viser juste si nous ne savons même pas ce que nous visons ?

Il incombe au philosophe de définir avec clarté ses finalités. Il est certain que la philosophie et ses enseignements traditionnels nous offrent mille exemples et formules pour arriver à la vérité, mais chacun doit trouver, parmi ce millier, sa propre formule. Chacun doit définir avec précision où il veut conduire sa propre vie...

Vivre sans savoir où nous voulons mener notre existence, c'est comme tourner en rond dans un bois d'où nous ne sortirons jamais.

En premier vient le centre, la finalité.

Ensuite, essayer notre visée. Si nous savons ce que nous voulons, jour après jour il nous faudra nous essayer avec notre arc et nos flèches jusqu'à atteindre la cible. Notre arc est constitué de nos idées et de nos sentiments ; nos flèches sont nos actions.

Mais attention ! Un sage ne se fait pas en un jour, et l'archer ne réussit pas le tir parfait lors de son premier essai. La répétition sera l'exercice de persévérance qui nous rapprochera peu à peu de la perfection. Arrivera un moment où, naturellement, nous aurons planté la pointe exactement où nous nous l'étions proposé.

La conscience du centre
Le centre, cœur de l'univers
et cœur de l'homme

Cette idée constitue une des bases essentielles des enseignements du sage Confucius.

Le Centre, conçu comme cœur, tant dans l'univers que dans l'homme, est le droit chemin, la juste Loi, la marche qui jamais ne dévie de sa mission. C'est le sentier de la vie, le guide sûr qui oriente tous les êtres vers leur finalité, ce qui permet de comprendre le pourquoi de toutes les choses qui arrivent, depuis la petitesse de l'atome jusqu'à l'immensité de l'espace infini.

Ce cœur humain, auquel nous voulons nous consacrer maintenant, n'est pas le siège des sentiments mais le lieu de la plus pure intelligence, celle qui peut échapper à la tyrannie des passions et envisager les idées élevées.

C'est dans le cœur que demeure à l'état latent la Loi universelle. Dans la mesure où on atteint le fond du cœur, on découvre la Loi et ses multiples lois exprimées dans tous les plans de l'existence.

"Trouver le lieu central de notre être moral qui nous unit à l'ordre universel, constitue véritablement l'œuvre humaine la plus élevée". Ces mots du grand maître chinois nous poussent à entreprendre l'œuvre la plus importante de la vie : trouver le Centre, le cœur, la Loi qui exige une attitude cohérente avec le grand ordre, la conduite morale permanente qui trouve dans le ciel son inspiration et dans la terre sa base d'application.

L'homme de cœur, allié au ciel et à la terre, est capable de créer. Non parce qu'il prend à sa charge la formation de l'univers, mais parce qu'il peut recréer mille et une fois ce qui a été conçu selon les Lois invariables. Ce même homme triple est celui qui peut conserver le créé, parce qu'il connaît les lois, les comprend et les respecte ; la destruction n'entre ni dans son cœur ni dans ses actions, au contraire il se laisse guider par la préservation de tout ce qui est doué d'éternité.

Tant qu'il n'y a pas une claire conscience de ce que nous sommes et des buts que nous devons atteindre sur le chemin de l'évolution, le cœur reste.

Où est le centre de chacun ?

La réponse à cette question est relative, puisque, au-delà de l'idée archétypale du Centre comme d'un phare immuable dans la marée de la vie, chacun a son propre centre là où il a sa propre conscience. "Imaginer" le centre dans des sphères spirituelles élevées est une chose, c'en est une autre de découvrir le véritable centre habituel pour, dans tous les cas, le faire monter un peu plus haut.

Chacun a son centre là où il a sa propre conscience

Qu'est-ce qui indique notre centre ? La hauteur de la conscience.

Si la conscience ne se sépare quasiment jamais du corps et de ses exigences, il est évident que le centre, dans ce cas, est dans le corps. Si la conscience s'occupe prioritairement à ressasser les préoccupations quotidiennes, avec leur suite de perturbations psychologiques et mentales, le centre sera dans les émotions, ou au mieux, dans des raisons passablement confuses. Si on arrive à se concentrer dans la lecture ou l'étude, le centre sera dans les idées qu'on capte. Si on vit intensément une expérience mystique, le centre se sera déplacé au plan du mental pur ou de l'intuition...

En un mot : en tant qu'êtres humains, nous n'avons pas un centre fixe.

Le centre naturel de l'être humain se situe dans le mental

Notre tâche consiste, par conséquent, à établir le point central idéal pour notre moment d'évolution, et comment faire pour maintenir la conscience dans ce centre, en évitant les oscillations presque permanentes auxquelles nous sommes soumis.

Si on considère que le mental rationnel et intelligent est ce qui nous différencie des animaux, des plantes et des minéraux, il est évident que c'est là que se trouve le Centre naturel des êtres humains. Cela ne signifie pas qu'il n'y aura pas des situations dans lesquelles la conscience s'arrêtera aux besoins du corps, ou aux fluctuations de la psyché, parce que nous ne pouvons nous détacher de ces véhicules d'expression. Ce qu'on cherche, par contre, c'est, à partir de l'intelligence mentale, pouvoir satisfaire aux besoins du corps et de la psyché. Plus qu'une "descente" de la conscience, il s'agit d'un "élargissement" de la conscience qui peut atteindre tous les plans sans abandonner son poste de vigie, sans quitter son propre niveau. Ce n'est pas la même chose de voir ce qui se passe au niveau de nos sentiments et de se laisser prendre par les sentiments, de ne pouvoir les contrôler ni sortir d'un état émotionnel.

Il convient donc de mieux connaître notre mental

Connaître sa manière de travailler, qui ne s'épuise pas dans le raisonnement mécanique ni dans celui qu'imposent les opinions que fait valoir la mode. Le mental travaille avec des idées, petites unités cellulaires qui peuvent entrer en relation les unes avec les autres grâce à leur nature commune. Le premier souci qu'il nous faut avoir est d'apprendre à mettre en relation les idées que nous possédons, au lieu de les garder dispersées et détachées les unes des autres.

Pour cela, un idéal nous fournit les bases philosophiques fondamentales qui servent à appuyer chacune des idées que nous adoptons. Si l'édifice de nos idées possède des bases solides et qu'il est bien construit, même s'il est petit et simple, ce sera un bon édifice mental.

De séparer les idées des émotions

Bien que nous sachions que le mental s'associe habituellement très souvent aux émotions, nous devons essayer, sans tensions fictives artificielles d'emprunt, de séparer ce que sont les idées des émotions. Il suffit de distinguer jusqu'à quel point nous raisonnons en partant du "ça me plaît ou ça ne me plaît pas" ; si nous laissons de côté ces caprices, il ne nous restera que l'idée. Ensuite, si nous le voulons, nous pourrons analyser nos goûts et vérifier s'ils sont véritablement nôtres, s'ils sont des éléments adoptés par convention ou s'ils sont le fruit de nos peurs, de notre paresse psychologique, du désir de confort intérieur qui refuse tout effort soutenu. Lorsque le goût est en relation logique avec l'idée, alors le mental peut rester dans son centre et embrasser les sentiments qui accompagnent logiquement le processus de la pensée.

D'éviter au mental la tyrannie du corps

Le mental est aussi victime de la tyrannie du corps, qui demande une part élevée d'attention. Il faut à nouveau faire la différence entre ce que " pense" le corps et ce que nous pensons nous-mêmes. Et sans dédaigner les exigences physiques, leur donner leur juste valeur et leur accorder ce qu'elles méritent, mais toujours depuis la hauteur du mental.

Si nous perdons cette "cabine de contrôle", plus que des états mentaux comme centre de conscience, nous aurons des états d'âme, des états vitaux et des états physiques.

Pour résumer

Le centre de chacun peut se situer dans le plan matériel, dans le plan vital, dans le plan sensible ou dans le plan intelligent. Mais le véritable Centre, celui qui nous correspond en tant qu'êtres humains, est dans le mental.

Voici ce que disent sur le sujet les vieux enseignements du "Dhammapada" : "Les conditions dans lesquelles nous nous trouvons sont le résultat de ce que nous avons pensé, elles demeurent fondées dans le mental, elles sont forgées par lui..."

Est-ce conquérir l'équilibre que de parvenir au Centre ?

Malheureusement, non. Parvenir au Centre est quelque chose que nous réussirons de temps à autre, et nous pourrons le répéter avec une fréquence toujours accrue mais l'équilibre ne sera pas immédiat. Ni non plus de longue durée. Peut-être l'équilibre n'est-il rien de plus qu'un rêve, une image qui nous aide à continuer à avancer et nous arrache à l'inertie. Tant que nous n'atteindrons pas la véritable stabilité, tout ce que nous obtiendrons sera son ombre fausse : la stagnation, la tranquillité sans perspective. C'est pourquoi nous devons savoir gré au manque d'équilibre d'être comme une invitation permanente au mouvement. Marcher, c'est perdre l'équilibre chaque fois que nous passons d'un pied sur l'autre ; et néanmoins, nous nous déplaçons.

"De même qu'un archer redresse sa flèche, de même le sage redresse son mental instable et vacillant, qu'il est difficile de dominer, difficile de surveiller." ("Dhammapada")

C'est la caractéristique du mental, même celui du sage : difficile à contrôler, difficile à dominer. Son instabilité fait qu'il faut être constamment sur ses gardes pour que la flèche n'aille pas se ficher dans une cible erronée. Pour atteindre le Centre, il faut une attention persévérante. Pour conquérir l'équilibre, il faut beaucoup, beaucoup plus... si bien que nous ne nous y attarderons pas.

Pour le moment, notre tâche est d'atteindre le Centre, de découvrir où il se trouve et d'éduquer la conscience de telle façon que nous puissions l'élever jusqu'à son plan intelligent chaque fois qu'elle glisse à des positions inférieures. La stabilité dans le Centre est un pas à envisager dans l'avenir, pas assez proche pour qu'on puisse le toucher de ses mains, pas assez éloigné pour qu'on ne le voie pas.

Comment atteindre le Centre ?
La concentration

La conscience est centre. Mais il ne suffit pas qu'il existe un centre que nous regardons de dehors, comme s'il ne nous appartenait pas. Ce manque d'intérêt, cette indifférence à l'égard d'un centre qui est nôtre, mais que nous voyons comme étranger, est ce qui provoque la tension et l'effort.

Nous avons un Centre et il faut arriver à entrer dedans. Entrer avec la tranquillité et la facilité avec laquelle nous nous déplacons dans des lieux inconnus. Pourquoi le Centre du moi persiste-t-il à être pour nous un inconnu ? Parce que les moments où nous y entrons sont très rares, parce que nous le cantonnons aux moments "importants" (dont nous n'apprécions pas toujours la valeur de façon objective). Le petit-grand secret de la concentration consiste à ouvrir un chemin et à le reconnaître, à entrer dans le centre librement chaque fois qu'il le faut, c'est-à-dire toutes les fois.

Se concentrer est tout un art : il entraîne avec lui la faculté d'intérioriser nos actions, de rester dans le centre et, cependant, de montrer les actions au dehors avec un total naturel. Un des meilleurs exemples qu'on puisse proposer est celui d'un artiste en général. Prenez le cas d'un chef d'orchestre qui doit se concentrer sur chacun des musiciens, sur ce que joue chacun d'entre eux et le moment où il le joue, qui garde en mémoire une œuvre complète, et néanmoins, à partir de son centre, transforme des partitions et des techniques instrumentales en une musique qui coule avec l'éclat de l'art.

Prenons l'exemple des études, lorsque nous nous voyons quasi contraints de nous concentrer parce qu'un examen nous attend. Si nous parvenons à entrer dans le centre avec sérénité, tout ce que nous rassemblons là sera à notre disposition de façon sûre lorsque viendra le moment de passer l'examen. Si, au contraire, notre concentration alterne avec des distractions, nous savons un petit nombre de choses qui ne nous servent pas à grand-chose, parce que nous ne pouvons pas les mettre en relation avec le reste des idées.

Rien de plus éloigné que concevoir un centre dans lequel rester pris et isolés de ce qui nous entoure, et même de nos propres activités. C'est au contraire un centre accueillant, le lieu de la conscience, auquel nous accédons et dont nous sortons quand nous nous le proposons. Si c'était un enfermement, la concentration ferait de nous des névrosés au lieu de personnes intelligentes.

La concentration n'a pas à être un effort, source de tension ; elle doit être un voyage passionnant vers l'intérieur de nous-mêmes.

Le centre et la périphérie
Concentration et dispersion

Il est regrettable que nous accordions si rarement de l'intérêt à l'une de nos facultés les plus puissantes. Du manque de concentration naît la superficialité et la tendance au changement. La superficialité a une raison évidente : nous nous déplaçons sur la couche la plus extérieure de la conscience et perdons la possibilité d'approfondir. La tendance au changement a la même origine : à la surface les choses bougent plus rapidement qu'au centre ; le centre est repos, la surface est agitée. C'est là que s'impose le besoin de variété et qu'on en vient à croire que les choses sont importantes lorsqu'elles sont nouvelles.

C'est presque la norme de vie chez ceux qui "zappent" à la télévision, sautant d'un programme à l'autre, chez ceux qui sautent les pages d'un livre en quête de la fin, ou ne supportent pas de soutenir une conversation sur un même sujet plus de cinq minutes parce qu'ils sont passés par inadvertance à une autre question.

La concentration, le fait de savoir arriver et être dans le centre, nous procure une vie intérieure plus riche, renforce nos connaissances, nous apporte la confiance en nous-mêmes et nous aide à prêter attention aux autres, élément si précieux pour développer la convivialité si ardemment désirée entre les humains.

J'espère, cher lecteur, que tu es arrivé jusqu'ici avec la concentration suffisante pour emporter avec toi le message que je voulais te transmettre.

Une source de difficultés
La personnalité et le Centre

La vie quotidienne est un défi constant dans notre désir de conquérir le Centre. Si d'un côté, l'idée du Centre est simple à comprendre, elle est néanmoins par ailleurs très difficile à vivre.

Chaque fois que nous nous proposons de "nous centrer", la personnalité avec sa quantité de facteurs multiples, détruit nos bonnes intentions.

Si on se souvient que, du point de vue de la philosophie traditionnelle, la personnalité est un ensemble de plans qui diffèrent entre eux, cette même inégalité fait que l'équilibre est difficile. Comment concilier tant d'exigences dissemblables ? Le corps physique demande pour lui-même le maximum de confort, la satisfaction continuelle de ses appétits. Le plan vital veut le repos à tout prix et évite tout effort. Le monde psychique poursuit ses propres satisfactions, celles qu'on appelle "bonheur", pauvre bonheur qui dépend d'états d'âmes variables et sujets aux circonstances extérieures. Le mental est peu éduqué et par là même a recours à la variété pour obtenir la sensation de plénitude ; peu lui chaut de savoir en profondeur mais bien de se remplir de données nouvelles et superficielles. Dans quel plan situer le Centre, quand on ne peut se passer de la personnalité telle qu'elle est constituée ?

Chaque plan en l'homme possède son propre centre

En premier lieu, on devrait considérer que chaque plan d'expression possède son propre "centre", c'est-à-dire un point autour duquel gravitent ses propres intérêts. Les caractéristiques de la personnalité, brièvement indiquées dans le paragraphe précédent, indiquent ce qui est considéré comme le plus important dans chaque plan. C'est, en principe, son "centre". Mais ce n'est pas son état optimal de développement.

Tant le corps physique que les autres plans de la personnalité, vital, psychique et mental, peuvent et doivent affiner leurs impulsions immédiates et parvenir à leur propre équilibre, en reconnaissant leurs besoins, bien sûr, mais en les satisfaisant à partir des principes essentiels à l'existence, et pas d'un quelconque caprice.

Si chaque plan de la personnalité parvient à être reconnu dans ses véritables possibilités, si la conscience nous signale en chacun d'eux les points faibles et les valeurs à renforcer, chacun de ces plans atteindra un "petit centre", un équilibre de vie, même si cela ne veut pas dire avoir atteint le "grand Centre".

Mais il existe aussi un "grand Centre"

Pour atteindre ce Centre, il faut recourir à une géométrie

non conventionnelle, qui nous oblige à varier la façon d'aborder les choses. Il pourrait sembler, à première vue, que le Centre soit au milieu.

De cette façon, si on cherchait le centre de la personnalité, on devrait le situer entre la vitalité du corps et l'inconstance des émotions. Est-ce à dire que c'est le point d'équilibre de l'être humain dans son expression accomplie ? Non, clairement pas.

Le Centre, dans ce cas, est au-dessus, au milieu et en haut.

Le Centre de la conscience se situe au point le plus élevé que nous ayons réussi à développer, qu'on veuille le concevoir en tant que simple raison, en tant que capacité de penser, en tant qu'intelligence cohérente ou en tant qu'intuition créatrice.

Il est au "milieu", si on l'interprète comme point d'harmonie proportionnelle, comme flèche qui pointe vers le sommet de l'esprit.

Il est en haut, point qui sans être le plus haut de toute évolution humaine, est néanmoins le plus excellent que nous possédions actuellement.

Accorder sa juste place à chaque plan

Cela ne veut pas dire ne pas tenir compte du corps, parce qu'il nous manquerait l'outil indispensable pour nous exprimer et communiquer avec les autres. On ne peut non plus ne pas tenir compte d'une dose salutaire d'énergie parce que le moindre effort nous épuiserait. Cela ne veut pas dire non plus ne pas tenir compte des émotions. En tous cas, plus que des émotions, il faudrait ajouter des sentiments élevés, purs, brillants et stables, aux sables mouvants de l'affectivité fluctuante. Cela veut dire que toute la personnalité possède une focale située dans son point supérieur. Cela veut dire que le mental, qu'il soit raison ou intelligence, qu'il soit pensée ou intuition, dirige tout ce qui se passe dans la personnalité et lui confère l'harmonie souhaitée.

Si nous cherchons le Centre, nous savons donc alors que nous devons le faire dans le plan mental. Cependant, avoir rencontré ce point de référence nous crée immédiatement une autre obligation : celle de perfectionner le mental pour qu'il puisse exercer son rôle de Centre, sans provoquer l'écroulement de toute la personnalité. Un mental instable, éduqué dans le doute comme si c'était son unique aliment, un mental agité qui ne peut se concentrer sur rien plus de quelques minutes, un mental superficiel qui se satisfait de rumeurs au lieu de chercher des vérités, ne peut servir de Centre.

L'importance de la philosophie pour trouver le Centre

Une fois de plus est mise en évidence l'importance de la philosophie entendue comme amour de la sagesse et comme action permanente de recherche de valeurs profondes et véritables.

La philosophie peut faire du mental un outil en or, en transmutant toutes ses faiblesses et en lui donnant l'assurance nécessaire pour se maintenir et maintenir tous les éléments constitutifs de la personnalité.

Le Centre se trouve là où se trouve celui qui dirige. Que le chercheur ne permette pas que ses plans inférieurs enlèvent à son intelligence le rôle qui est le sien dans cette entreprise évolutive. Avec une intelligence disciplinée et sensée, intuitive mais toujours soumise à examen, avec un caractère serein et plein de sentiments raffinés, avec une saine vitalité et un corps discrètement entretenu, il aura trouvé un Centre à partir duquel continuer à travailler pendant des années à la conquête de lui-même.

Centre véritable ou subjectivité ?
Comment ne pas les confondre

Nous avons localisé le Centre dans la partie la plus élevée du Moi dans les conditions actuelles de l'être humain : dans le mental ou cœur, car tel est son stade évolutif.

Atteindre le Centre, c'est... atteindre le point le plus profond et le plus réel de notre Etre. C'est atteindre l'endroit où nous pouvons nous rencontrer nous-mêmes et contrôler tous nos processus, avec sérénité et objectivité. C'est le Centre/cœur, le Centre de contrôle.

Mais pour éviter des confusions, il nous faut écarter d'autres options qui se manifestent de façon habituelle et qui, du fait de leur apparente similitude, peuvent induire en erreur. Il existe certaines manières d'agir qui peuvent donner l'impression de concentration et de contrôle, mais qui sont loin de la vérité que nous voulons conquérir.

La véritable conquête est le Centre en tant que contrôle objectif de la personnalité.

Le faux centre est la simple subjectivité, le fait de s'immerger dans les courants psychiques ou dans les élucubrations mentales, et de croire que cette intériorité est suffisante.

Toutes les erreurs, avec leurs conséquences, partent du fait de remplacer la maîtrise de soi-même par la subjectivité ou, en d'autres termes, la vie intérieure par l'intériorité psychologique.

Quelques exemples de confusion possible

La personne ambitieuse est généralement contrôlée... jusqu'à ce qu'elle échoue dans son contrôle. Tant qu'elle poursuit son objectif, elle arrive à un certain empire sur elle-même, et même sur les autres. A première vue, n'importe qui croirait qu'il s'agit d'une personne capable d'un grand déploiement d'auto-maîtrise. Cependant son centre est à l'extérieur : il est dans le but qu'elle poursuit. Si une quelconque éventualité lui enlevait l'opportunité d'y parvenir, on verrait qu'elle perd aussi sa prétendue maîtrise et il ne faudrait pas s'étonner qu'elle commette de sérieuses bêtises.

Une personne rancunière et vindicative peut aussi paraître contrôlée. Son désir de vengeance est si grand qu'il se constitue en source de force. C'est un cas similaire au précédent : le Centre est à l'extérieur de soi, parce qu'il est dans l'objet de sa rancœur. Si pour une raison quelconque, ses représailles n'aboutissent pas, le présumé contrôle, qui n'était rien de plus que la froideur de son âme en quête de revanche, disparaît aussi.

Une personne "vide" peut paraître contrôlée. Elle fait preuve d'une placidité et d'une tranquillité que n'importe qui confondrait avec une totale maîtrise de la personnalité. En réalité, c'est le vide qui fait que rien ne la perturbe ; elle ne s'émeut devant rien parce que rien ne l'intéresse véritablement. Et clarifions que par "vide" nous n'entendons pas le manque de culture mais le manque de vie intérieure authentique.

Une personne indécise peut faire l'effet d'être en train de chercher son Centre. La voir aller d'une chose à l'autre, sauter de situation en situation, d'idée en idée, semble une recherche. En réalité, c'est une incapacité à se définir qui ne lui permettra pas d'atteindre le Centre. Parce que pour cela il faut prendre une décision, même si ce n'est pas la meilleure, même s'il faut se corriger à mesure qu'on chemine, mais de toute façon une décision. On ne peut toucher la cible si on ne pointe pas la flèche dans une direction précise. On pourra se tromper dans le tir, mais au moins on sait où est la cible ; ce qui est mauvais c'est de rater la cible sans savoir ce qu'on vise.

Une personne égoïste a aussi la présence de celui qui sait se contrôler. Elle a effectivement un centre : son propre moi inférieur, et elle s'aime elle-même plus que tous les autres. Elle regarde à l'intérieur mais elle le fait en se focalisant sur les besoins de sa personnalité la plus grossière ; elle ne reconnaît pas son Centre supérieur, ne sait pas l'atteindre et n'est pas intéressée à le faire. Toujours, elle divague à la superficie de ses propres satisfactions, convaincue d'avoir atteint le but. Cependant, la moindre contrariété est suffisante pour anéantir son apparente maîtrise.

Une personne vaniteuse offre l'apparence de confiance en soi maximale. Son auto-valorisation lui confère calme et aplomb, par delà les exagérations dans lesquelles elle peut tomber. Mais, une fois de plus, le centre n'est pas à sa place : ce n'est même pas un centre parce qu'elle s'affirme dans quelque chose qui n'existe pas, dans des vertus qui n'en sont pas, dans des valeurs qui ne dépassent pas la fantaisie. Il suffit au vaniteux qu'un de ses projets s'écroule et sa sérénité se transforme en agressivité.

Nous croyons que ces exemples de subjectivité suffisent. Ce que nous cherchons, c'est, au contraire, à parcourir le sentier d'un pas tranquille, sans nous arrêter ni nous hâter. Et par dessus tout, sans confondre la subjectivité de la conscience empêtrée dans la psyché et le raisonnement avec le sentiment et la raison fixés dans le point supérieur qui confère la véritable maîtrise sur soi. Ce point est supérieur à la simple émotivité, il est supérieur au simple exercice intellectuel, c'est un pas de plus en avant dans le développement humain. Ce Centre est l'endroit où se trouvent les sentiments les plus épurés et les idées les plus élevées, où brille le soleil de chaque être.

La vocation

Ce terme s'emploie pour désigner l'attirance envers une profession ou un travail déterminé que certains hommes heureux peuvent choisir dans leur vie. Et si on monte à des plans plus élevés, on parle généralement au mieux de vocation religieuse.

Nous croyons, néanmoins, que la vocation est quelque chose de plus vaste qui affecte des aspects bien plus nombreux de l'existence. Et, surtout, c'est quelque chose qui est propre à l'être humain.

La vocation est propre à l'être humain

L'observation de la Nature et de ses lois nous apporte beaucoup d'enseignements sans paroles, simples mais profonds, en ce qui concerne la vocation.

C'est ainsi qu'on voit que les minéraux suivent leur chemin qui les conduit à se transmuter de l'obscur charbon au diamant resplendissant, du plomb opaque à l'or brillant. Ils gardent leur cap, s'ajustent à leur loi de vie, mais il n'existe pas de vocation, de choix qui leur permette de le faire d'une manière ou d'une autre.

Il se passe la même chose avec les végétaux. Le trajet qui va de la graine à l'arbre est immuable et la seule chose qui puisse le modifier est son interruption, c'est-à-dire que la graine ne parvient pas à fructifier. Mais la graine ne choisit pas.

Chez les animaux, particulièrement les animaux domestiques, une petite lumière se fraye un passage qui les amène à choisir des maîtres ou d'autres, en fonction de valeurs que nous, êtres humains, ne parvenons pas toujours à comprendre. Il apparaît aussi chez eux la lumière de la fidélité, qui est une autre forme de choix. Le reste du monde animal est régi par ses propres lois et vit fidèlement sa condition naturelle.

La vocation est un appel de l'âme

La condition humaine possède, évidemment, ses lois évolutives mais, outre la mécanique et la vitalité du corps, outre les émotions, il existe un mental intelligent qui perçoit ce qui survient autour de lui et à l'intérieur de lui-même. Lorsque l'être humain s'interroge sur le sens de la vie, alors surgit l'option de la vocation.

La vocation est un appel de l'âme ; la psyché et le mental parlent dans leur propre langage, expriment leurs désirs, leurs aspirations, ils choisissent ce qui les conduira à une pleine réalisation. Voilà la vocation.

Elle peut s'exprimer à travers un travail spécifique, une profession mais, fondamentalement, c'est une forme de vie, choisie librement par l'âme qui possède un idéal, un but à atteindre. La vocation est l'impulsion, l'énergie qui conduit au but, peu importe le type et le nombre de difficultés auxquelles elle va se heurter.

Mais la vocation est plus encore que cet appel de l'âme et cette impulsion de réalisation. Il lui faut des supports puissants, sans lesquels elle peut rester ce qu'on appelle communément une vocation ratée.

Trouver sa vocation et y répondre

La vocation demande du discernement : en d'autres mots, la capacité de choisir et de s'assurer de l'authenticité de ce qui est choisi. Il ne s'agit pas de goûts changeants qui un jour penchent pour une chose et le jour suivant pour une autre. Ce ne sont pas non plus les reflets de la société ni des héritages de famille, parce qu'il est bien certain que beaucoup de prétendues vocations ne sont que des réponses à la mode, à l'image, à ce qui jouit de prestige à un moment donné. La voix de la vocation est unique et toujours la même ; la vie peut lui donner forme, l'adapter aux circonstances pour la rendre réalisable, mais elle ne change jamais.

La vocation demande de la volonté. Choisir une forme de vie est relativement simple ; mener à bien cette forme de vie est beaucoup plus compliqué. Des empêchements surgiront, des facteurs dilatoires, il y aura de l'incompréhension et même des jalousies ; mais la force de volonté se taillera un passage au milieu de tous les obstacles pour atteindre son but.

La vocation demande de l'enthousiasme, un feu intérieur, du courage spirituel pour continuer. Elle ne connaît ni la fatigue ni l'ennui ; elle peut par moments subir un léger abattement lorsque les épreuves sont grandes et nombreuses, mais elle renaît comme l'oiseau Phénix et reprend sa marche avec une énergie renouvelée.

La vocation demande de la continuité. Elle est comme un fil d'or qui court tout au long de la vie, sans jamais perdre le cap. Elle ne s'arrête pas, ne cède pas face à des cycles obscurs ni face aux circonstances adverses. Elle trace un chemin éclatant dans lequel on peut reconnaître, sur n'importe quel tronçon, la qualité de l'idéal, la qualité de vocation.

Etre philosophe est une vocation.

Connaître l'univers et ses lois, se connaître soi-même est une vocation. Être généreux avec l'humanité est une vocation. Chercher la perfection dans tous les aspects de la vie est une vocation. Rêver d'un monde nouveau et meilleur est une vocation : celle du philosophe.

Si tu as senti l'appel de ton âme, ne ferme pas l'oreille à cette voix. Aie recours à la volonté, au discernement, à la continuité et à l'enthousiasme et tu réaliseras la forme de vie que tu as choisie.

Table des matières

Achevé d'imprimer en août 2002
sur les presses de la Nouvelle Imprimerie Laballery
58500 Clamecy
Dépôt légal : août 2002
Numéro d'impression : 207107

Imprimé en France